NARRATORI ITALIANI

Dello stesso autore presso Bompiani

Cabaret Voltaire
Il lupo e la luna

PIETRANGELO BUTTAFUOCO

IL DOLORE PAZZO DELL'AMORE

ROMANZO
BOMPIANI

Via Angelo Rizzoli, 8 – 20132 Milano

ISBN 978-88-452-7410-7

Prima edizione Bompiani ottobre 2013

Mi feci un viaggio, un giorno, portando con me una piccola pianta di papiro. La vidi inghiottire dal metal detector e poi riemergere, luccicante di sorrisi, una volta superati i controlli d'ingresso ai gate. Friggeva, la pianta, all'idea di arrivare finalmente a destinazione: sul terrazzo, giusto trono del suo essere un ciuffo importante.
E questa è la dedica, al papiro.

Vorrei tornare indietro, per rivedere gli errori,
per accelerare il mio processo interiore.
Ero in quinta elementare,
entrai per caso nella mia esistenza...
fatta di giorni allegri e di continue esplorazioni,
e trasformazioni dell'io. [...]
Vorrei tornare indietro nella mia casa d'origine,
dove vivevo prima di arrivare qui sulla Terra.
Entrai per caso nella mia esistenza
di antiche forme di insegnamenti
e trasformazioni dell'io.

Franco Battiato, *Passacaglia*

Altri morirono,
ma questo accadde nel passato che è la stagione
(nessuno lo ignora) più favorevole alla morte.
È possibile che io,
suddito di Yaqub Almansur,
muoia come dovettero morire le rose e Aristotele?

Alì Mootâdir el Maghrebi

Non lo conoscevate, vero, quest'uso di succhiare un fiore di gelsomino e poi baciare?

Non è altro che un gioco vano l'amore senza un giardino dove spartirsi, labbra su labbra, la rugiada.

Il respiro si solleva come da cielo in cielo, come per tracciare una trama d'illusioni e raggiungere così l'azzurro, la notte oppure il biancore della canfora al mattino ma solo il bacio conosce il momento in cui lo sguardo – labbra sopra labbra – ravviva la carne.

Ripetimi. *Ripetimi*, disse, con le parole e coi fiori, *una storia che dica di un abbeveratoio, dove possiamo scendere coi nostri cuori che aleggiano intorno.*

C'è voluto tutto un lavoro di cesello filologico per decifrare un verso di Ibn Hamdis a tal proposito. Ce ne sono di diversi tipi di questo rampicante mentre di bacio – lunghissimo, segreto, rapinoso – ce n'è solo uno ed è unico: è amoroso. Anzi, è d'amore. Hamdis è un poeta siciliano di lingua araba e quando descrive il modo per darsi fragranza al respiro ci aggiunge di suo un anelito di cuore che è nostalgia.

L'amore si nutre di una sorta di pudore metafisico, s'incarna nel vivere stesso che, via via, perde sempre qualcosa di sé, perde perfino l'amore, e il poeta, rapito nel segreto del lungo patto di labbra e gelsomino, dice: "Vuote le mani, ma pieni gli occhi del ricordo di lei."

È lo Scravacchio, ovvero lo Scarafaggio, che – una volta schiacciato – se ne viene di notte mentre si dorme.

Sale sul letto e arriva fino al cuscino. Cammina tra i capelli, cerca l'orecchio e vi si accomoda.

Allarga le zampe sue tutte pelose, si piazza sul tubo dell'udito e sbottona la patta.

Ed è così che fa il suo bisogno liquido, dentro l'orecchio, lì dove arrivarono le parole di quello che si racconta.

Ed è così che lo Scravacchio si vendica di chi l'ha schiacciato benché avvisato. Sotto forma di cunto.

Mi ricordo di zio Saro Giunta.

Scalzando una pietra – un blocco da muratura, per l'esattezza – e vedendo venirne fuori uno Scravacchio, zio Saro mi disse: "Non l'ammazzare, sennò ti viene a cercare di notte e ti bagna."

"Viene lo Scravacchio morto?" chiesi.

"No, non lui. Viene la sua mogliera," rispose. E mi spiegò: "Anche se lo fai di nascosto e lo calpesti senza farti vedere, tutti gli Scravacchi lo vengono a sapere e, nel grande tuono del lutto, nel loro pazzo dolore, si fanno venire il sangue agli occhi e lo riferiscono alla vedova, alla Scravacchia, che poi, cerca che ti cerca, ti trova."

"E se non lo schiaccio?"

"Ti benedice e parla bene di te con san Pietro, che al momento giusto ti farà entrare in Paradiso, e che subito, entro un giorno, ti fa trovare un soldo. Tanto scava, lo Scravacchio, che un denaro te lo trova; e se proprio non ci riesce, torna a casa sua, lo prende dal borsellino e te lo porta dopo, quando se ne viene di notte."

"E me lo porta davvero?" domandai, catturato da siffatta scienza.

"Sì, mentre dormi," proseguì ispirato zio Saro. "Sale sul letto, arriva fino al cuscino, cammina tra i capelli, scansa l'orecchio, scende sulla guancia, apre il tascapane, prende la moneta di ringraziamento e te la lascia. Te la lascia dove meglio la potrai trovare quando ti svegli."

"E così," concluse ieratico zio Saro mentre grattava con la cazzuola il blocco da muratura, "non è solo Scravacchio: è anche Scavadenari."

E zio Saro alzò un'altra pietra – anzi, blocco da muratura – e trovò, nascosta, tra le muffe del terreno, una bella moneta da cento lire. E sentenziò:

"Scravacchio, Scravacchia e Scavadenari non sono tre, perché il fatto è uno e solo il mese è trentuno."

Poi, raccolse il soldo e me lo diede:

"Eccolo, è tuo."

Io presi la moneta ma subito cercai con la scarpa lo scarafaggio, un altro, o forse lo stesso di prima, e lo schiacciai.

"Che fai? Pezzo di pazzo e cosa fitusa!" mi urlò zio Saro facendomi tanto d'occhi.

"Il soldo ce l'ho," dissi io, strafottente, "e la moglie Scravacchia non mi ha visto."

Con uno struscio sull'erba scrostai dalla scarpa la carcassa lattescente dello Scravacchio e me ne andai, lasciando lo zio sulla scia dei miei sghignazzi:

"Non ci credo, non ci credo e non ci credo!"

Corsi per la strada del paese fino al tabacchino del Ciollo e mi comprai cento lire di caramelle Pip, quelle al vago sapore di liquirizia che usavano i fumatori di trinciato.

Le mangiai a manciate, masticandole e inzeppando i denti di cristalli di zucchero gommoso. E me ne tornai a casa.

Arrivò la sera, una di quelle dove la luna piena si sfoga di luce marzolina, e mi coricai cercando di non pensare allo Scravacchio. In effetti non ci pensai di mio: fu lui che si presentò e mi perforò la testa in forma di pensiero.

Mi camminò nel sangue vestito di preoccupazione. Mi tenne sveglio tanto a lungo da farmi stancare gli occhi, la mente e il respiro.

Provai con la filastrocca infallibile, quella dei Brutos. Me la cantai da solo:

"Io alzo un dito, poi l'altro (dum-dum! uà-uà!), mi picchio sulla testa e poi sbadiiiigliiiooo...." Ma, niente, mi fallì per poi svanire in una botola di sonno, al mattino.

Appena il tempo di consumare il riposo in un botto.

E non fu solo l'orecchio.

Tutto, mi trovai bagnato. In un sentimento di ridicolo che, col pigiama intriso di spavento, m'invase con una tale puzza di paura da ricordarmene ogni sera. E ancora oggi, che sono un cinquantino, chiudendo gli occhi sento lo Scravacchio che mi fa i bisogni nell'orecchio. Perché ai cunti degli anziani bisogna credere sempre.

Anche alle preghiere bisogna credere sempre.

Ascoltate questa:

"Oh Signore, grande e buono / tu lo sai che anch'io ci sono / tu che vesti i fiorellini e dài l'ali agli uccellini / rendi lieti babbo e mamma / fa' che brilli ognor la fiamma / sul tranquillo focolar / fa' che tutti io sappia amar."

Ecco.

Questa dolce cantilena doveva essere nel sussidiario della classe II. Diventò il canto di famiglia; e nonna Nina, mia nonna, una volta m'insegnò un gioco che, in realtà, è una specie di trucco: se l'avessi recitata nel silenzio di una stanza o in angolo di casa, l'Angioletto – che è il mio custode, quello che ancora adesso è qui a ricordarmi il fatto per come fu – mi avrebbe fatto trovare dei dolcetti, delle caramelle o delle gomme da masticare depositate sul letto dei miei genitori, come tutte le altre dolci sorprese.

"Prova!" mi disse.

Io provai e, in effetti, dopo aver mormorato la preghiera trovai il mio premio, e da allora tentai ogni santo giorno, di nascosto da tutti, per trovare ogni volta la mia succosa ricompensa.

Fu sempre la stessa festa, ma un giorno, davanti a tanta costanza di prodigio, mi sembrò di esagerare e arretrai fino a chiedere a mia nonna – forse perché mai sazio o forse perché già sporco di sospetto – qualche spicciolo per comprarmi le delizie senza intermediari. Forse – voglio sperare – lo feci per non stancare l'Angioletto; ma nonna Nina, facendo mostra del borsellino vuoto, mi consigliò ancora:

"Recita la preghierina."

Io la pronunciai daccapo e, come sempre, trovai daccapo i dolciumi.

Poi diventai un poco più grande. E mi convinsi che a farmi trovare tutte quelle cose fosse da sempre lei, e non il mio Angioletto. Diventai grande solo di un poco, appunto, giusto quella misura di niente che è la furbizia, e perciò pregai di nascosto da lei, senza darle a intendere nulla. Anzi, aspettai di farmi dare il bacio mentre me ne stavo già a letto, perfino sbadigliando. Attesi che si chiudesse la porta e, senza far rumore, dopo un po' – mentre dal televisore si sentiva "Canzonissima" – uscii dalla mia stanza per infilarmi dentro un ripostiglio ricavato nella tromba delle scale. E lì, al buio, con tutta la casa invasa dalle note di *Scende la pioggia*, recitai la mia preghiera:

"Oh Signore, grande e buono...."

Feci il segno della Croce e sgattaiolai via con circospezione, risalii la scala a chiocciola ed entrai nella stanza da letto di papà e mamma, pronto a gracidare "Niente c'è, niente c'è!," e invece lo trovai, il pacchetto di Gomme del Ponte, in bella vista sul copriletto del lettone grande, adagiato sul materasso. Con tutto un battere di petto sul cuore, scartai la confezione e, infilandole in bocca una dopo l'altra, cominciai a masticarle tutte insieme, tutta una confezione da dodici, non tanto per gola quanto per calmare l'emozione. Uscii dalla camera da letto dei miei genitori e mi guardai intorno, perlustrando passo dopo passo tutta la casa per trovare nonna Nina, seduta in poltrona in soggiorno, davanti alla tivù, intenta a rimproverare a Gianni Morandi la camminata "alla Pasquale", lo zappatore della nostra campagna in contrada Valentino, a Leonforte. E lo diceva ai miei e a mia sorella che stavano con lei ad ascoltare le canzoni:

"È preciso Pasquale...."

Trovai infine la calma, ruminai ancora un po' e tutta la mia furbizia svaporò con gli applausi che salutavano Morandi. Sputai quella mappazza di gomma bianca e dietro la porta, controllando che tutti continuassero a guardare lo spettacolo, mi ripetei sottovoce la preghiera, feci di nuovo il segno della Croce e in un lampo tornai nella camera di mamma e papà. Ebbene: trovai non più caramelle e dolcetti bensì un pugno di deliziose mandorle verdi, quelle morbide dal sapore acidulo e ghiotto il cui ricordo, ancora adesso, mi smuove l'acquolina.

E fu così che non potei farla in barba all'Angioletto. E neppure a nonna Nina.

Alle preghiere, dunque, si deve credere sempre.

Si dà notizia che le mandorle si sono indurite, i gusci stanno per aprirsi, le foglie degli alberi già si bucano per il troppo sole e dunque sta arrivando l'ora della battitura. Si raccomanda di cominciare a raccoglierle una a una, assolicchiarle ancora un po' e spaccarle con una pietra dura sul cozzo sopra una basola.

Colpi decisi sulla cucitura dell'osso.

E non di piatto. Altrimenti schizzano. E si frantumano solo a estate finita.

E anche ai diavoli bisogna credere, perché non sono superstizione: sono vicinato.

I diavoli ci sono.

Sono prossimi, stanno sempre per la via e abitano i paraggi anche quando restano prigionieri di una mano santa, la mano di san Filippo d'Agira che li tiene incatenati.

Sono quegli stessi ceffi dallo sciocco sorriso aguzzo visti in qualche brutto sogno. Sono fatti di zolfo e di cacca.

Sono invisibili ma – se vogliono – anche visibili.

Sono silenziosi ma – se lo desiderano – anche fracassoni.

Se si prendono d'uggia, sono dei fannulloni malinconici e quindi isterici, bavosi, rabbiosi, piagnucolosi e questuanti come quando, vestendo i panni di mendicanti, non chiedono l'elemosina, piuttosto la suggeriscono. O come quando uno di loro aprì gli occhi al modo dei gattini e lasciò la propria zampa nel disco della luna piena, giusto per farsi compiangere. Ma san Filippo d'Agira, conosciuto anche come il Nero, uno che non passa le giornate a pestare l'acqua nel mortaio, gliela riempì di fichidindia spinosi.

Mi ricordo di un bambino seduto sul sedile posteriore della macchina di suo papà, una Renault4.

Guardava il paesaggio corrergli accanto.

Guardava con tanto d'occhi e studiava la forma dei terreni dove la strada si prendeva il suo largo. Osservava la forma dei terreni, pronti a essere bagnati dall'autunno; contemplava le luci del pomeriggio, i cartelli segnaletici, le pattuglie della Stradale e, ovviamente, si godeva il viavai delle altre automobili nell'allegro groviglio del traffico. A un certo punto ebbe la sorpresa di vedere un diavolo di nome Zuppiddo comodamente seduto al fianco di Addaunera, altro diavolo, alla guida di una Prinz giallo oro che stava superando la R4. Zuppiddo gli fece un largo sorriso dal finestrino. I diavoli, si sa, corrono come diavoli, e difatti la Prinz diede gas, ma il bambino rispose al saluto con tanta dolcezza e allegria che anche Addaunera volle unirsi al ciao-ciao di Zuppiddo. Ma nella fatale distrazione di fare anche lui il suo saluto per perdersi in quel sorriso, oplà, Addaunera non si avvide del sopraggiungere di un camion OM e fece scontro. Nessuno se ne accorse, però. Non se ne accorse il papà, che continuò a guidare; e neppure l'autista del camion OM ebbe a capire cosa fosse successo. Solo il bimbo vide la scena, e subito abbassò il vetro del finestrino per far entrare i due diavoli, e metterseli sulle ginocchia, per poi farli medicare dalla zia pediatra. E i due diavoli medicati diventarono bambini, e diventarono buoni come pezzi di pane bagnati nel latte caldo. La R4 si fermò e il papà, voltandosi verso il suo bimbo, lo trovò grande e uguale a se stesso. E poi in un lampo trovò se stesso nel passato, un infante, e poi ancora nel futuro, addirittura morto. Chissà come, allora, sbucò da un angolo il camion OM; e stavolta dello scontro si avvidero tutti. Fino a ritrovarsi stampati sul giornale dell'indomani.

Mi ricordo di un diavolo che s'infilò nella vita di un altro per portare a compimento un suo disegno scellerato.

Me lo ricordo, e non sto a spiegare il dettaglio, perché ci allontanerebbe dalla vera storia. Dico solo che questo vestire i panni di un uomo dall'esistenza tutto sommato banale consentì a Tredicino, il nostro diavolo, di incontrare la donna della sua vita; e insieme a lei, dunque, di incontrare il suo doloroso e incredibile destino.

Tredicino s'innamorò.

S'innamorò come neppure il più innocente dei bambini davanti al sorriso della mamma.

S'innamorò come della maestra un alunno. Come della peccatrice il seminarista.

S'innamorò di una signora – assai virtuosa, ben sposata – che un poco lo degnò ma poi sporcò tutto il suo amore di diavolo rendendolo ridicolo, mettendogli in testa le corna per darsi a un ometto, un Bovary di paese, uno che se la giostrò nello spazio di una tresca stanca dopo averla illusa di un'avvolgente parodia del riscatto esistenziale: condurla a una vita elettrizzante, piena di avventure.

Piovve per tutto il tempo di quell'amore disperato, e il diavolo – infilato nella vita di un altro, dimenticando il proprio disegno scellerato – non riuscì a riprendersi e a venirne a capo da solo, tanto che il generale dei diavoli in persona andò da lui per levargli dalle carni la lussuria se non proprio il sentimento. E dovette faticare, ma non per il desiderio del posseduto che impazziva per la signora, bensì per lo struggimento di tenerezza e simpatia che faceva di Tredicino un pupo di zucchero, un fantasma di diafana malinconia incapace di dirle, o di farle dire dal titolare della vita in cui si era infilato: "So chi sei e so cosa sei."

E non riusciva a dirglielo perché non poteva più dire: "Non sai chi sono e non saprai mai cosa sono."

"Chiediti cosa fosti, Tredicino!" tuonò dalle viscere della

terra il principe delle Tenebre, ormai rassegnato per quel suo soldato, reso pazzo dal dolore dell'amore e messo al laccio da una ben sposata e assai virtuosa signora.

"Cosa fui? Cosa non sono più?" mormorò sotto la pioggia Tredicino.

"Fosti un diavolo, adesso sei solo un cornuto."

E, sempre a proposito di diavoli, cadono, giusto a proposito, le corna.

Non quelle che i demoni portano in fronte per farsi largo tra le seduzioni e gli incubi, ma i rostri avvitati in faccia più che in testa agli uomini persi di pace, onore e dignità a causa di femmine che fanno di loro – di loro che sono i propri uomini – dei Re senza neppure prendersi l'incomodo di incoronarli.

E mi ricordo di una mattina al Circolo di Compagnia, a Leonforte.

Ecco, ci sono i grandi che giocano a carte.

Il cameriere raccoglie le ordinazioni. La luce di mezzogiorno trabocca nel salone dove s'apparecchia la giornata di relax dei notabili. È luglio e i pulviscoli di riflessi fanno le giravolte tra le coppe di gelato, i cucchiaini, i piattini con le fiches e le poste messe in gioco. A volte anche caramelle, da usare per il vinci-perdi.

Tutti gli scuri sono serrati per tenere alla larga il sole e l'afa. Una lama di caldo scava la penombra e abbaglia il sottofondo leggero con uno svaporare frizzante. È quello di una pasticca detergente messa a sciogliere in un bicchiere. Uno dei convitati al tavolo – lo ricordo ancora con una fitta allo stomaco, tanto il disgusto – si toglieva di bocca la dentiera per immergerla e tenerla accanto a sé, con assoluta noncuranza. E ci aggiungeva del limone. A fette.

La dentiera, dunque. E quel frizzare in sottofondo. Con tutti i soci rassegnati davanti a tanto disgustosa stravaganza. Anche i più lenti di stomaco non se ne curavano, e dentro l'acqua, quella ganascia, si dilatava e sembrava prendere vita. Io la guardavo stregato e quello, scolando bicchieri di vermouth, poggiava il bicchiere così come altri, in altri tavoli, posavano la paglietta, il bastonetto o le chiavi dell'automobile: ostentava la dentiera e se ne stava con le carte in mano a concionare – non senza sputacchi – sull'eterna discussione degli uomini di quei tempi: le corna.

La dentiera, però. Forse gli dava fastidio tenerla in bocca, certo non si curava degli astanti, e forse lo faceva per attutire il tanfo di tutto il liquore che succhiava continuamente e per non farsi scoprire poi, tornando a casa per il pranzo, dalla moglie, una signora così brutta da essere simile a una dentiera in un bicchiere.

Aveva tanti beni al sole la signora, questo sì, ma era racchia al modo così definitivo che quando la discussione si elevò al dettato "quanto sono puttane le femmine", e appunto lui – intingendo il dito nel bicchiere, per meglio far risalire le bollicine con le scorie galleggianti – arrivò a dire:

"Sì, sì, le donne sono tutte bottane," tutti ebbero davanti agli occhi sua moglie per com'era brutta.

E mio zio Nino lo zittì così:

"Statti zitto tu, presuntuoso!"

E quello si accucciò facendosi schermo con le carte di ramino, capì di non poter ricevere conforto per la certezza di non poterlo diventare mai, cornuto. E bevve ancora un poco dal suo bicchiere e fu per un pelo che non sbagliò, rischiando di svuotare in luogo del liquore l'effervescente e inghiottire così, al posto delle fette di limone, la dentiera.

Mi ricordo di due innamorati (ma agli innamorati, si deve proprio credere?).

Mi ricordo di quando si diedero appuntamento in una piazza.

Lei in macchina, lui a piedi.

Arrivò lui. Correndo. Per dirsi qualcosa e poi sorridere.

Lui salì nell'auto e se ne andarono via. Ma solo per poca strada.

Si fermarono e si abbracciarono. Poi meglio: si baciarono.

Per staccarsi col tipico sguardo ebete di chi è ubriaco d'amore.

In effetti era lui ad avere quell'espressione; di lei non si può dire, perché la si vedeva di spalle, ma era chiaro quanto lui amasse lei molto più di quanto lei potesse volere lui.

Lei, infatti, si staccava spesso da lui. Si capì già da quella scena.

Per lei, lui era solo un capriccio.

Successe qualcosa, e quell'uomo, bello e ferito, aprì la portiera e scese dalla macchina per vederla andare via.

Alzò il braccio per farle ancora un saluto, ma lei era già con la testa altrove.

Neppure guardò dallo specchietto retrovisore, diede gas e se ne volò via.

Lui s'incamminò tenendo in mano una corda con diciannove disgraziati nodi, quelli dei giorni a valanga.

"Diciannove come le domande che non ho potuto farle, perché non me ne ha dato il tempo," disse, incontrando lo sguardo dei passanti.

Un vecchio dall'aria saputa gli fece la domanda pertinente:

"Cosa sono i giorni a valanga?"

E lui rispose:

"Sono quelli in cui i pensieri si sovrappongono e non si ha modo di trascriverli."

Con la corda, mostrò anche un taccuino, tutto scarabocchiato.
D'improvviso cominciò a piovere. Lui alzò lo sguardo verso il cielo e cercò il profilo delle betulle sulla Statale 121 degli Erei di Sicilia.
Non era la scena teutonica di Mefistofele quella strada, ed erano pini quegli alberi.
Lei era Margherita e lui, poveretto, non era il Faust.
Ma solo il Diavolo. Innamorato.

P.S. Lui non si accorge invece che lei lo guarda.
Che attende a lungo prima di condurre quella macchina, custode dei loro abbracci, lontano dal suo sguardo e dai pensieri non espressi ma perfino più urlati.
Lui non è un capriccio, anche se lei di capricci ne ha fatti tanti. Troppi da sopportare. Anche per il Diavolo innamorato.
Ma qual è ora la loro sorte?
Lei legge nei suoi occhi ogni guerra e strenua lotta, ma non sa dare aiuto né conforto.
Non c'è risarcimento alcuno per alleviare il dolore che lui soffre.
E lei si allontana, a versare lacrime pesanti, pensando solo di non aver alcuna ragione per essere da lui amata.

Mettere le finestre a vanedduzza, ovvero accostate affinché ogni refolo possa potenziarsi di alito e respiro. Tutto scivola nella lentezza e nello sparagno delle forze. I battiti si spengono nel sussurro di una piccola morte; ma a invadere le carni è l'equivoco torpore della pennica, non le dolci Urì del Paradiso. Anche la ricotta va a male, e allora beate le serpi che l'arsura se la godono. E beati i santi che sono fatti di marmo e mai sudano.

L'ultima volta che sono stato in Siria ho visitato la grotta di Bahira, il monaco cristiano che per primo riconobbe i segni della profezia nel giovane Profeta (su di Lui la Pace). Sono poi andato in moschea, a Damasco, e mi sono fatto accompagnare nel minareto di Isa ibn Mariam (su di Lui la Pace), ovvero il Cristo; e non c'era angolo di Siria che non fosse una traccia, come un filo riconducibile al gomitolo di una storia fatta grumo di gioia ed emozione. E così nel cammino di Filippo, il santo nero di Siria che, comandato dal vescovo, arriverà ad Agira per liberare la città dai demoni. I diavoli, infatti, entravano e uscivano a loro piacimento dalla porta di Mamuni, che, forse non l'ho detto, è uno degli ingressi degli inferi descritti nell'*Eneide*, e nel tempo dell'ignoranza non c'erano più i progenitori capaci di un'esistenza in un corpo immortale, come Eracle che lì scavò il lago, per dimostrare al padre suo, Zeus, quanto fosse degno di risalire la terra per arrivare al cielo. È uno specchio d'acqua oggi sepolto dal passeggio della brava gente, che nel segreto del cuore conosce la vera natura di quel santo, un innesto di Siria in Sicilia, appunto, il grumo.

I diavoli ci sono, dunque, e abitano oggi in un luogo della periferia diventata nel frattempo il centro.

San Filippo li aveva portati lontano, ma poi il paese se n'è scivolato giù dalla sua montagna, lasciandosi alle spalle tutte le chiese; sempre più giù, verso le strade che avvicinano le anime ai diavoli e le portano via dalle case e dai giardini.

I diavoli ci restano, e il paese è sempre più dimentico del mondo che fu quando il santo vi arrivò per portarvi la sua mano santa.

Ci sono, dunque, i diavoli. E c'erano da prima, dai tempi dei tempi, quando ad Agira scavarono questa che è una delle prime porte da dove si precipita nell'Inferno. Erano al tempo, al tempo dei tempi, diavoli guardiani, quindi diavoli della cerca, veri reclutatori di ossessi, di dannati e di zannuti mostri mascherati da pii mastri d'opera.

C'erano anche al tempo in cui Eracle passò da Agira, quando lo sfidarono intrecciandosi in un unico mostro, l'Idra, per poi farsi sgozzare dall'eroe e poi rinascere e poi ancora scannare e risorgere tra i reticoli dei millanta colli della malvagia arpia, sempre attorcigliati nei gargarozzi e lunghi quanto gli alberi della palma della chiesa dell'Abbazia e squamosi peggio della terra di Frontè quando la siccità ha superato le dieci lune.

C'erano e ci sono i diavoli, ancora oggi. E alloggiano nella grotta che spacca la rocca dove c'è la fontana di Mamuni, nella contrada di Agira che oggi si chiama come la fontana col suo tubo di timida acqua e la vasca fragile di muschio, e dove le automobili transitano incuranti di quel presenziare di invisibili e di visibili. E se i diavoli sono sempre in castigo, annodati di ferri dentro una grotta, all'approssimarsi della Pasqua si fanno vivi, reclamando la libertà con le loro urla e con il frastuono dei lucchetti.

Tutto a causa di una beffa che dovettero subire molti anni or sono – ma è più giusto dire molti secoli or sono, se si fa il conto che questi demoni, ben quattro, ebbero la loro malagiornata quando pensarono di sfidare Filippo il Nero, meritatamente santo, in una sorta di schermaglia tra compari.

Gli proposero una gara: tirare pietre. E Filippo accettò offrendo loro un vantaggio: gli diede dei sassi maneggevoli e compatti mentre lui, santo paziente, scelse per sé dei costoni di granito pesanti già da sollevare, figurarsi da lanciare. Chi avesse perso sarebbe stato legato. E anche qui san Filippo fu generoso: loro avrebbero potuto stringerlo con le catene più grosse, lui invece li avrebbe avvolti con un solo filo dei suoi lunghi capelli, verosimilmente facile da spezzare.

La gara iniziò. I diavoli, per ottenere un magnifico risultato, scagliarono le pietre dalla punta del paese, ossia dal castello. Il santo faticava a sollevare la sua pietra, tant'era pesante; poi, con un sol colpo di segno di Croce, riuscì ad alzarla e a scaraventarla a una distanza tale che i quattro diavoli dovettero volare oltre le larghe vigne del priore per controllare l'esito. Tornarono da lui e si fecero legare con quel capello, e già buffoniavano il santo sapendo di poter troncare il pelo con una sola occhiata, figurarsi con quanto sforzo. Ma san Filippo si fece nuovamente il segno di Croce, e quel capello – girato sulle carni avvampate dei diavoli – a ogni tentativo di scioglierlo diventava duro. Ancora un poco, un'altra mossa, e si faceva più grosso; e tanto fecero, tanto si dimenarono quei diavoli, che il filo di zazzera, da pelo fragile che era, si mutò in catena, dura e solida come il ferro temprato al fuoco del vulcano. Ed Etna, di fatto, da lontano, neppure avesse assistito alla scena, rovinò di lapilli e vampe in festa mentre san Filippo – aiutato dal suo protetto Filippetto, il santo che fa i miracoli facili mentre all'altro spettano quelli difficili – si trascinò i diavoli oltre il paese, fino alla porta dell'Inferno, appunto la porta di Mamuni, che poi sbarrò facendo sgorgare davanti alla fessura l'acqua incantata che i diavoli li tiene alla larga.

"Quando ci libererai da queste catene, Filippo?" urlarono a una sola voce i quattro diavoli.

Filippo il Nero, mosso a perfidia, finse pietà e rispose:

"Un giorno vi libererò, statene certi."

"Ma quando?" chiesero ancora i quattro, agitandosi nella morsa di quel capello che a ogni movimento cingeva in loro una nuova maglia di crudo e nudo ferro.

"Quando, Filippo? Quando?" tuonarono disperati i quattro

diavoli, e Filippo, mosso a crudeltà, aspettò che dagli Inferi accorressero gli altri diavoli per liberare i loro compagni. Sapeva, il santo, che chiunque avesse toccato quelle catene sarebbe stato preso al laccio. E così, come a moltiplicare l'Idra di un tempo, del tempo dei tempi, ma per non muoversi più, senza neppure la pietà di un Eracle che ne tranciasse le carni, tanti diavoli, ormai tutta una legione incatenata a quel solo capello, si ritrovarono infine a invocare, non senza una loro ragione:

"Liberaci, Filippo! La nostra libertà serve ai figli di Dio. Altrimenti, senza di noi, non potranno scegliere tra il Male e la Provvidenza. Senza la Tentazione non può esserci la santità."

I diavoli ci sono e mettono tutto il sale che ci vuole in zucca per portare bisacce alle proprie spalle, e san Filippo, messo alle strette, davanti alla suprema ragione di Dio, offrì loro una speranza:

"Vi libererò, parola mia, ma solo quando Pasqua sarà nel mese di maggio."

All'opposto dell'amore non c'è l'odio, ovvio. Non compete all'etica esprimersi al riguardo perché l'Inviolato – il Clemente, il Misericordioso – ancor prima che buono è bello. Il ritorno dell'odio alla ribalta della vita sociale è politicamente utile ma fuorviante. Non resta che accomodare i pezzi rotti del contratto sociale, è vero, solo che tutto quel latrare contro il legno storto è un segnale rivelatore dell'infezione più maligna: quella dell'etica. Il Diavolo, nell'istante in cui se ne scivolò dalle nuvole più abbaglianti verso gli Inferi cupi e bui, passò dal bello compiuto dell'Eterno (che è "luceferente" di suo) al brutto incompiuto della storia lineare. L'imbuto dove si agita il Diavolo è quel cantiere dove l'umanità s'industria una palingenesi, la rigenerazione morale. È per la palingenesi, infatti, che certi poveri diavoli si fanno crescere il pizzetto. È per la palingenesi che il Diavolo, dopo aver fatto le pentole, le coperchia con l'indignazione. Tutta la palingenesi è lastricata di trasparenza. Ed è per pura palingenesi che ci si sdoppia al punto di voler abitare quel simulacro e viverne la virtualità di un esistere tutto aggiustato, fatto con i legni dritti e lisciati della fuorviante tombola del bene e del male. Ecco, all'opposto dell'amore c'è la compassione sociologica, perché l'unica palingenesi a disposizione di Dio è il Dì del Giudizio.

È il Diavolo che vuole le cose giuste. Dio – che ha buon gusto – le vuole belle.

Sempre nei porci san Filippo il Nero faceva entrare i diavoli incontrati per strada.

L'unico animale del Creato che guarda a terra senza mai poter godere il cielo è il maiale e perciò, ogni volta, quel rinchiuderli tra i lardi, per i demoni, era prigione ma anche conforto.

Fiutare solo il fango era natura sposata a eguale natura per il diavolo tratto prigioniero, solo che un giorno Cruprù, arcidiavolo, costretto da Filippo a trovare tana nei prosciutti di un maialino dei Nebrodi, dunque tutto scuro, cadde in un fosso.

Vi capitombolò all'indietro e perciò vi restò incastrato con la coda a cavare turaccioli nel tufo. Ebbe il muso all'aria e per la prima volta, il maiale – con spalmato dentro Cruprù, arcidiavolo – vide l'azzurro del cielo e impazzì d'amore. Tutto quel celeste abbaglio appena un dito sopra la melma svegliò nel diavolo l'atroce rimpianto di avere avuto, all'alba dell'indivisa carità, il presagio di Dio e perciò pianse, struggendosi di nostalgia per tutta quella luce che, evidentemente, non aveva cancellato dal tempo in cui con Shaitan, seguendolo, aveva cercato gli abissi.

E dunque pianse, Cruprù.

Pianse con la voce dell'ultimo pastore cui aveva posseduto la vita, ma non riuscì a commuovere Filippo.

Pianse poi con i singhiozzi della massaia della quale s'era presa la vita, facendola sfracellare dalla rupe del Cefalaro, il quartiere di Agira dove venivano concluse le condanne; ma non poté convincere Filippo. E neppure piangendo con gli strilli di un bimbo innocente, salmodiando la disperazione, invocando la misericordia, elemosinando un bastone cui aggrapparsi, stringendolo tra le fauci, per farsi tirare fuori dal buco, Cruprù ebbe ragione del cuore duro di Filippo, esperto assai di diavoli bugiardi sempre, anche davanti alla sfolgorante potenza d'Iddio.

E quindi pianse ancora mentre la brava gente, accorsa, cercava di convincere Filippo a recuperarlo finché fosse vivo e a scannarlo subito per mangiarne le carni, se proprio non voleva saperne di salvarlo. Ma c'era un diavolo dentro quel porco, questo diceva a tutti Filippo, che si mise a guardia del fosso affinché nessuno potesse tentare di prendersi quelle salsicce. E quando il santo cominciò a gettare pietre e terra per farlo crepare, un vento improvviso cominciò ad avvolgere Agira, e le nuvole, in alto, formarono una scala, e da quei gradini, scavati nella viva luce, un angelo scese lesto per arrivare accanto a san Filippo, benedire lui e poi tutta la brava gente accorsa nel manifestarsi di quel miracolo.

E l'angelo disse al santo:

"Tu hai fatto bene a non credergli ma io ti porto un comando: abbi pietà, Filippo, è tempo. È giunta l'ora di avere pena di questo demone toccato nel cuore."

E fu così che l'angelo aprì la terra stretta intorno al maiale, la bestia poté distendersi e, finalmente, esalare lo spirito immondo – un minuscolo buco di nulla sospeso nell'aria – che tra le dita dell'angelo, come fosse pasta molle o creta, diventò qualcosa e poi ancora una cosa, infine formò la creatura che sarebbe rimasto, e dunque un angelo che visse il Cielo, liberato adesso dal Male.

Troppa fu l'offesa per il Capo dei diavoli. Sbucò da chissà dove e urlò così forte da far squagliare la popolazione arrivata dalle case e dalle campagne per assistere al miracolo. Ma fu ancora Filippo il Nero a vedersela con la Bestia; e, sempre con il permesso di Dio, fece per chiedere a Cruprù, restituito alle sue ali candide, quale fosse la sua ultima decisione. Fu sul momento di parlare al diavolo tornato a essere angelo, Filippo. Fu per profferire al modo solenne le parole arcane, e allora quel vecchio mostro, apparso per impedire il furto del suo Cruprù, abbassò le insegne, ovvero le corna, quelle sporgenze che sono di tutti i demoni e che impediscono loro di vedere il Cielo.

Il Capo dei diavoli fece così mostra di arrendersi. E disse:

"Ogni diavolo, si sappia, fu angelo, e gli angeli tra le creature sono e si mostrano più di ogni altra natura, le nature più liete. Io vado e possa io non vedere mai il Cielo."

E così dicendo la Bestia rese ancor più lunghe e torte le sue sporgenze in testa. La crapa gli calò per il forte peso, ed egli sparì lasciandosi dietro la schiuma della propria rabbia, che dilagò dappertutto, lordò tutto il paese, squamò come creta secca fino ai piedi del santo e ai calzari dei due angeli – il più sorridente dei quali, Cruprù, con l'abbraccio di san Filippo il Nero, fu subito restituito al Cielo.

I diavoli ci sono. E sbuffano, urlano, smaniano per il dolore e per la collera. Chiedono di uscire dalla prigione loro, quella di Mamuni, per ricadere nell'abbraccio delle loro stesse catene. Sono sfiniti i diavoli, e con la schiuma alle fauci. Marchiati nel dolore pazzo dell'abbandono. Smaniosi di pietà, mai ripagati. Neppure dalla lama di Eracle, l'eroe.

I diavoli, dunque, ci sono. È la Pasqua che, a maggio, non ci sarà mai.

Anche i santi sono da mettere in castigo.

Sono santi, è vero, ma quando stanno in cielo si prendono tutta la beatitudine del Paradiso e si scordano del proprio dovere, che è confortare gli uomini e lavorare per loro. E allora una penitenza se la meritano. Perché, infine, i santi, nel calendario ci stanno per dare alla terra un'avvocatura di misericordia. Non per inghiottire la Gloria. E tutti i nostri imbrogli sta a loro sbrogliarli. È il loro mestiere.

E sono da mettere in castigo, sì, ma nella misura del rispetto, perché noi abbiamo l'emicrania mentre loro, soavissimi, hanno il cerchio di luce dietro la testa; hanno in pugno il giglio della purezza, e in sé hanno la sete di Dio che – capita, è così – li impegna alla contemplazione dell'Infinito che rende piccola e spicciola quella valle di lacrime che è la terra.

"Essi si nutrono di luce," mi spiegò nonna Maria Venera, l'altra mia nonna, "e quando stanno in cielo hanno la Rosa Mistica e sono sazi, e va bene, ma per stare tra noi vivono nelle immaginette. E siccome sempre di chiarore devono campare, si bevono o il bagliore del giorno o quello delle lampadine..."

Così m'insegnò mia nonna, e fu attraverso quella spiegazione che ebbi chiara la possibilità di mettere in castigo i santissimi santi perché – faccio esempi d'oggigiorno – non hanno ancora procurato un marito a chi rischia di restare zitella; non hanno ancora aiutato lo studente a prepararsi per l'esame e superarlo con profitto; non hanno ancora fatto trovare uno stipendio a chi merita una collocazione degna del ruolo, per diventare così impiegato di concetto; non hanno procurato i voti necessari, infine, a una meritata elezione in parlamento o, al contrario, hanno sottratto i suffragi per bocciare un'inutile candidatura.

Insomma, per questi e per tanti altri ottimi motivi – per non sbagliare – è opportuno togliere i santi dalla luce di cui si nutrono, mettendoli faccia al muro.

Mia nonna, nonna Maria Venera, faceva così: metteva faccia al muro il santino incorniciato di sant'Antonino, che è il santo di famiglia. E per giunta gli spegneva il lumino. Tutto questo fino a quando il santo, muovendosi da Padova per venire a Leonforte, non avesse risolto il tutto da lei richiesto durante le recitazioni del Santo Rosario, che organizzava nel dopopranzo, a casa, mobilitando le sue amiche. E a volte, sempre mia nonna, sempre a sant'Antonino, il santo della mia famiglia, gli faceva dispetti. Lo girava faccia al muro, perché se un santo è legato direttamente a un simulacro, è sempre possibile esercitare su esso una costrizione, anche in forma di dispetto e le candele, infatti, mia nonna le accendeva a padre Leopoldo, a quel tempo solo beato ma miracolosissimo altrettanto. E padovano come il più titolato sant'Antonio.

Ero in quinta elementare ed ero appena tornato da scuola. Me ne stavo dietro il bancone della farmacia di mia madre quando arrivò una cliente che, dopo aver preso delle medicine, le raccontò di un incarico avuto, anzi, di un'ambasciata.

"Quale?" domandò mia mamma.

"Io non sapevo di dover venire oggi, ma stanotte mi venne in sogno sant'Antonino, benedetto, che mi disse queste precise parole: 'Quando ti svegli vai dalla farmacista per prenderti le medicine e poi...' Ecco, io mi permisi d'interromperlo: 'Ma quali medicine, sant'Antonino mio benedetto? Io buona di salute sto.' Ma lui, portando pazienza, continuò: 'Tu ci vai perché le medicine serviranno a donna Signuredda, la tua vicina. Farai quello che dovrai fare ma poi darai alla dottoressa quest'ambasciata da parte mia.' 'Parlasse, vossia,' dissi a sant'Antonino benedetto, e lui mi parlò: 'Devi dire alla dottoressa se per favore ricorda a suo cognato Nino di fare quella cosa che sa lui, una cosa che deve fare per me!' Ora, dottoressa cara, questo mi disse sant'Antonino benedetto, e giuro che mi svegliai e non ebbi manco il tempo di prendermi un poco di caffè che mi chiamarono perché donna Signuredda si era sentita male. Io pensai a sant'Antonino benedetto, e mi dissi: 'Ragione aveva. Dovevo venire per le medicine.' Ma ora a lei ci devo dare la sua ambasciata."

"Grazie," fu la risposta di mia madre, che accompagnò la signora all'uscita e girò la chiave alla porta, essendo ormai l'orario di chiusura, per poi salire al piano di sopra dove avevamo casa.

Si fece il pranzo, e all'ora del caffè arrivò mio zio Nino per una sosta della sua campagna elettorale, per telefonare e parlare delle cose da fare. E fu allora che mia madre gli riferì il messaggio recapitato dal santo per tramite di cliente. Ascoltato il racconto, mio zio si diede una manata in testa:

"Vero è," e se ne corse come una furia giù per le scale e poi in macchina, sulla Renault4, per farsi accompagnare a Leonforte. Fece quindi quello che doveva fare (quello che solo lui e il santo sapevano). Poi andò da sua madre, mia nonna Maria, e salì le scale di gran carriera per arrivare davanti all'angoliera del corridoio e girare immediatamente l'immaginetta incorniciata di sant'Antonino.

"Che fu, che successe?" gli domandò severa mia nonna, osservandolo mentre, strofinando bene il vetro della cornice, accendeva il moccolo a un lumino nuovo e, dopo, anche una sigaretta per se stesso.

"È che avevo un obbligo con sant'Antonino," rispose il figlio, emozionato, ma la madre, sempre più rigorosa nel suo inventario di rimostranze presso il Paradiso, soffiò sulla lucina e rigirò nuovamente la faccia al santo:

"Prima voglio vederti deputato. Dopo, il santo avrà la sua devozione. C'è tempo. E per adesso c'è anche padre Leopoldo."

Il benedetto venerdì è giornata di Dhikr e passò tenendo tra le mani i grani del rosario, deglutendo passo dopo passo la Menzione e il Ricordo. Cominciò il vento e sembrò tempesta tra le spire della malinconia – un'Assenza diventata catena – fino a quando Dhikr-Allah, trascinando me e i compagni, ascese a voce alta. E sembrò albergare sopra le nostre teste tutto un chiamarsi a vicenda di angeli fino a circondare in strati il primo cielo e acquietare il cuore fatto cieco di tutti noi lì convenuti. E fu come sentire un occhio schiudersi dal petto: "Per coloro che Mi ricordano nel loro cuore: Io Mi ricordo di loro nel Mio cuore. E per coloro che si ricordano di Me nei loro incontri: Io Mi ricordo di loro in un incontro più fulgente del loro." E davvero gli angeli vengono nelle strade per incontrare la gente del Dhikr, questo è il senso. Ci si alzò dai tappeti col sopraggiungere della sera, e dai cunicoli del castello di Agira – giuro – sentimmo arrivare il grido di dolore dei demoni, altri tre diavoli fatti prigionieri da san Filippo il Siriaco. Quel bercio ci atterrì ma il bravo santo, dalla cerchia angelica riunita in cielo, ci salutò: "Gli angeli vengono nelle strade e i demoni, sopraffatti dalla Menzione, si sentono persi." La ilaha illallah.

Alle ninfe bisogna credere, sempre.

L'ultima volta che se ne andò la corrente elettrica in Sicilia (nel senso che si staccò il contatore, mancò l'erogazione dell'Enel, e in tutto il circondario, da Enna a Calascibetta, da Altesina fino a Nicosia, non si vide una sola finestra con la lampadina accesa) si capì che sarebbe stata faccenda lunga dal fatto che non c'erano in cielo i lampi e neppure tuoni ma un'aria serena e già pronta al tramonto. Venne buio, e tutto restò nell'oscurità di una notte di agosto proprio nei pressi del Giardino delle Ninfe, con solo il rumore dell'acqua della Gran Fonte, dove non c'era manco il lume della luna; e si capì che non sarebbe tornata l'alta tensione e neppure quella bassa perché, nottetempo, si sentì il povero Dioniso sbattere il ginocchio contro porta Garibaldi. Era già bell'e pronto, il dio asperso di olezzo caprino, a fare carnezzeria di tutte quelle ninfe di Leonforte. Ma si fece così male all'osso da dimenticare tutto quel suo viziaccio porco per restarsene fino all'alba a lisciarsi la botta. E fu solo col levarsi del sole, con la risata di Kore, seduta sulla Rocca, che si capì l'antifona. La signora aveva apparecchiato il *blackout* giusto per preservare l'imene di tutta quella freschezza di fanciulle. E adesso, prima di sproloquiare sul capitalismo indiano in ritardo, qualcuno ha verificato che i kilowattora non siano sottratti da Kali per fare un dispetto a Shiva?

Ai malatini bisogna credere, sempre.

Sono sempre aperti, per loro, i portoni dei Cieli.

Il primo viaggio lo feci a Roma. Sul tram in servizio da piazzale Flaminio a piazza Mancini, ebbi curiosità di un tipo seduto sui sedili laterali della vettura, un signore dall'aria assai grave. Teneva a tracolla un borsello e, sulle ginocchia, una scatolina bianca. Su questa, come sul borsello, si notava una scritta: "Dio non esiste." Era stampata su una striscia di carta. Era attaccata con lo scotch e rimbalzava come a specchio tra il misero astuccio e la sportina in similpelle. L'effetto che produceva la frase doveva essere tutto nell'espressione del passeggero, così orgoglioso di ostentare siffatto proclama. E quell'uomo non era neppure triste, ma tenero, dolce al punto di commuovere Dio in persona che – onnisciente com'è – arrivò, se lo studiò e attese che si liberasse il posto al fianco per sedersi accanto a lui e attaccare bottone. "Così Dio non esiste?" disse Dio per cominciare il discorso. E quello: "Più precisamente, non esiste più." E, a mo' di spiegazione, aprì la scatolina e Gli mostrò il contenuto: "Vede? Mi sono tenuto da parte la sua anima."

Sempre aperti sono i portoni dei Cieli per i malatini.

Dalle mie parti c'è un tipo – un malatino – che da sempre fa il controllore, anzi, l'ispettore delle autolinee. Lui non è "tecnicamente" un ispettore. È solo uno che da sempre, da quando era un giovanotto, ha guardato al mondo degli autobus come al bengodi dei sogni più belli. Era la madre ad accompagnarlo alla fermata, in piazza. Gli pagava il biglietto e lo affidava agli autisti, che lo portavano da un paese all'altro fino a sera quando, senza più fargli pagare le corse, lo riportavano indietro sostando giusto davanti all'uscio di casa. Per tutto il giorno lui girava in lungo e in largo facendosi consegnare i biglietti per vidimarli. Fu come una virgola d'angelo in volo il suo sorriso quando il caposquadra degli autisti gli consegnò la pinzatrice per bucherellare i tagliandi ai pendolari. Lui, così malatino – "tecnicamente" invalido – prese il compito di sforacchiare talmente sul serio che, senza che la madre riuscisse a dissuaderlo, si presentò alla fermata, in piazza, pure a Natale e il giorno dell'Epifania. E continuò così per proseguire con il suo dovere ancora adesso. Il malatino, conosciuto da tutti, accolto come il presidente dei controllori di tutto il mondo, anzi, come il Re, ogni giorno si presenta alla fermata e comincia la sua giornata di ispettore. Quando fanno la finta di dargli un biglietto scaduto mette un broncio da bimbo, ma ha compiuto cinquant'anni. E tutti gli autisti delle autolinee, con una colletta, gli hanno fatto un doppio regalo: una divisa da controllore e il viaggio in pullman da Enna fino a Roma, andata e ritorno. Con tanto di foto nel piazzale della Stazione Tiburtina. E lui l'ha incorniciata per farne dono alla madre. L'ha appoggiata sulla tomba, girandola di fronte alla lapide. Lei, appunto, è Lassù. E lui ha trovato famiglia tra gli autisti. E i pendolari.

A Giufà bisogna credere sempre poiché, tra i malatini, Giufà è quello più toccato da Dio, dunque il più illuminante. E di luce ne dà tanta da rendere la menzogna più forte di ogni verità.

Quando Giufà se ne partì da Raffadali per andare a Girgenti, vi arrivò nel tempo in cui il cadì della città aveva dettato questa sentenza: chiunque fosse venuto per dire una menzogna sarebbe stato impiccato a un albero.

Giufà si presentò alle porte e, interrogato dalle sentinelle, disse:

"Sono venuto a dire una menzogna."

Allora l'intero corpo di guardia gli si avventò addosso per metterlo in catene; e così, già con una corda al collo, lo portarono davanti al cadì.

Il capoposto, mostrando orgoglioso il proprio trofeo, espose il caso, riferì della grave intenzione – "dice ch'è venuto a dire una menzogna" – e strattonò il tapino stringendogli già il cappio, come per eseguire subito la sentenza – morte! – senza neppure aspettare di trovare un albero. Solo che il saggio cadì di Girgenti fece no con la testa, e no ripeté spiegando il motivo di così sfacciato ripensamento sul proprio editto:

"Proclamando la sua intenzione di dire una menzogna, quest'uomo sta solo dicendo la verità."

Ecco, nell'enunciare la menzogna c'è un atto di verità. Giufà conosce solo ciò di cui è in possesso, fosse pure qualcosa che è il contrario della verità. La sentenza del cadì, infatti, ben interpretata da Giufà, non intende far dogma della verità in se stessa, di una verità assoluta. Altrimenti i sudditi potrebbero limitarsi a salmodiare il Santo Corano.

Cauto e circospetto rispetto alla fatica dei propri sudditi, il cadì – vero conoscitore della fallacia umana – chiede ai girgentini (e stiamo parlando degli antenati di Luigi Pirandello) ciò che solo l'illuminato Giufà riesce a fare:

"L'officio di ritrarre se stesso."

L'impasto umano è troppa poca cosa rispetto alla responsabilità di maneggiare il vero, e solo il sapere – qualunque forma di sapere, foss'anche il sapere di avere in dote solo menzogna – possiede l'ideale di una cristallina verità.

Quando Giufà nella sua incoscienza affronta le scimitarre dei guardiani, si professa veritiero in menzogna e sta manovrando i due passaggi di due distinte epoche del sapere umano: una prima età "spontanea" e una seconda "riflessa", ovvero il credere all'esistenza delle cose – e alla facoltà di conoscerle – e poi l'aver ragione di dubitarne e dimostrare la legittimità della conoscenza. Ciò che ci promette certezza ci accompagna al suo esatto contrario.

L'unica garanzia dell'operare dell'intelletto, dunque, all'interno di questa scena di vita sragionata, sembrerebbe data dal cappio. Ma il giudizio espresso dal saggio cadì – che nei racconti orali è quasi trasfigurato sotto specie di un patriarca mafioso – riconosce quale unica garanzia dell'intelletto, in punto di verità, l'operare dell'intelletto stesso.

Affinché possa dimostrare la propria capacità di verità, l'intelletto deve fatalmente assoggettarsi a una credenza istintiva e senza prova: l'accusato è sempre il primo testimonio della propria innocenza, e Giufà, maschera primigenia di un'impenetrabile ignoranza, dominando con la propria logica ravvolge in un'ombra di sillogismi l'abisso delle contraddizioni, ma solo per fabbricarne l'unica verità possibile: la menzogna ordita dal proprio intelletto.

I giurisperiti musulmani di Sicilia avevano stabilito in tre passaggi – empirico, mistico e speculativo – l'altrimenti insormontabile valico della verità. E tre sono le categorie studiate dai soldati del Jihad teleologico di Sicilia: l'attività dell'Io, i mezzi (la preghiera, la poesia, la guerra) e il fine.

Il pensiero dispone il vero in ragione di uno scopo. E se la logica si sottrae alle contraddizioni attraverso il riconoscimento dell'intelletto quale motore della vita proiettata verso la legge, il decreto del cadì, vigile affinché ogni azione non sia fuori dall'uomo e dalla natura, trova in Giufà colui che, valendosi della propria ingenuità, nomina con la menzogna quella Luce nella quale tanto il conoscente in punto di Verità quanto il conoscibile in tema di Menzogna esistono e vivono.

L'unica teleologia praticabile, infatti, tra cappio e scimitarra, è quella che procede dagli effetti – il corpo di guardia, l'editto, la forca – per ritornare alla causa stessa: la Verità. E sempre per il tramite della Menzogna, fantasma designato a farsi carico dell'intelletto dove immagine e parola formano una sola presenza. E una sola voce: quella del menzognero Giufà da Raffadali.

Anche alla menzogna, dunque, bisogna credere sempre.

Così come ai re bisogna credere, sempre.

Come quando il re si guardò allo specchio, si lisciò la barba e vi trovò un pelo bianco. Chiamò una serva e le ordinò di portargli la forbice. Infuriato, il re si tagliò il pelo. E lo scagliò lontano. La serva, mossa a compassione, raccolse il pelo e se l'accostò all'orecchio. "Cosa fai?" domandò infastidito il re. E lei:

"Sto ad ascoltare cosa dica questo pelo bianco il cui arrivo è bastato a scompigliare Vostra Maestà, ovvero ciò che c'è di più grande in questo mondo. Gli sento fare un ragionamento che però, temendo l'ira di Vostra Maestà, non oso pronunciare."

Il re ordinò allora alla serva di riferire il discorso del pelo, e questo fu ciò che il pelo disse:

"Sapevo bene, mio re, possente ed effimero, che m'avresti tagliato e maltrattato; ed è per questo che mi sono mostrato dopo aver deposto e covato le uova dei miei piccini, ai quali ho lasciato in testamento di farti pagare il fio della mia morte. Già si sono messi all'opera per la vendetta. Ti spegneranno a un tratto o ti avveleneranno ogni piacere."

Ascoltato ciò, il re lo fece mettere per iscritto, poi lesse e rilesse il cartiglio e infine se ne andò in fretta in un santuario, da dove, smesso il mantello regale, abdicò per indossare gli abiti del penitente e mai più regnare.

E da lì aspettò un nuovo re. Al quale commissionò il rimanente destino dei peli ancora neri.

E io credo ai re perché credo ai barbieri, credo a ciò che faceva don Antonino Russo, perché fu nella sua bottega, nel retro, tra i legni che reggevano i lavabi e gli specchi, che da lui ebbi raccontata questa storia.

Alle regine bisogna credere, sempre.

Un colore azzurro ma intinto nel buio. Quel manto di scuro della giornata che finisce presto, così è lei. Volge lo sguardo e ognuno non può che rivolgerle un inchino. Tutta quella sua luce diventa un tamburo. Le nubi del cielo di Possenhofen – oltre le mura del castello, casa sua – seguendo i rintocchi solenni delle campane se ne vanno tra le braccia della notte. E così è lei. È giorno e sogno e porta se stessa nel cuore degli Abruzzi, dove, "in mezzo a quei bravi combattenti" vorrebbe morire. Generosa nelle risoluzioni, non si separa dalla malasorte e si consacra alla cura. Con lei, Gaeta, conta una suora di carità in più. Fa l'amore e gode il privilegio di una gravidanza fuori dal matrimonio casto e innocente. È madre ma in una giornata che finisce presto, e Armand de Lawayss, il suo amato, ufficiale pontificio, cresce la loro bimba nel convento di Sant'Orsola, ad Augsburg. Esule, resta regina. È Maria Sophie Amalie von Wittelsbach Herzogin in Bayern, sovrana delle Due Sicilie. Ecco, con una dolce Maestà come lei, può mai importarci il destino di una Repubblica?

Anche ai vescovi bisogna credere, a volte.

Quando Nicosia, non ancora diocesi, aveva già un importante seminario, s'ebbe notizia di certi episodi non proprio commendevoli di sodomia. La città, al tempo, dipendeva da Piazza Armerina; e da lì se ne partì S. E. il vescovo, che s'accomodò in carrozza, assolvendo agli obblighi della meditazione e della preghiera per meglio affrontare il lungo viaggio. Come fu e come non fu, S. E. ebbe un certo disagio di stomaco che lo costrinse a chiedere al vetturino una sosta per potersi liberare dietro a un cespuglio; ma come fu – e come non fu – dietro a quel cespo dovette esserci un'ortica o altra erba molesta che, avendogli sfiorato le parti tenere nel suo momento di estremo pudore, una volta ripreso il galoppo verso Nicosia gli procurò un insopportabile prurito che dovette convincerlo di una strana esigenza, di una vaga malia, di uno struggimento insopprimibile delle carni; tanto che, bussando col bastone sulla parete della carrozza vescovile, chiese di fare marcia indietro: "Torniamocene a Piazza Armerina, che quei poveri ragazzi, in seminario, qualche ragione ce l'avranno a volerselo far grattare..."

Sembra di essere dentro un vecchio canovaccio del divertimento paesano, quando si balla masculi con masculi e femmine con femmine per non mettere troppa paglia maliziosa intorno al fuoco dell'innocenza; in tempi di ristrettezze erotiche, quando proprio le ragazze degli anni cinquanta praticavano solo il sesso sfiorato, ovvero l'infracosce, che era una sorta di penetrazione consentita per via di sfregamento, niente di più.

E bisogna credere ai barbieri, sempre, quando raccontano. Sempre.

"Ora ti cunto," dicono.

"E prendo tempo," mormorano ancora a mezza bocca.

"E lo faccio adagio," sussurrano sorridendo.

"A voce lenta," suggeriscono.

"E ci metto respiro," soffiano mettendo pausa.

"Ora ti cunto il fatto. E ti prendo il tempo."

Dopo di che, cantavano:

"Un uomo scaltro come un saraceno,
con la figura di un principe normanno,
l'amore per le arti di un antico greco,
signore di vita come uno spagnolo,
forte e giusto come un romano,
tira la somma: è il vero siciliano."

Come alla non assenza bisogna credere, più forte della non presenza.

Ricordo quando arrivò notizia di quello che capitò al barone Giuseppe di Avola.

Ricordo come lo raccontò don Antonino agli avventori e ai ragazzi di bottega, riuniti nel suo locale di via Diodorea.

Disse:

"Dovette chiudere gli occhi in una camera dell'Hotel delle Palme di Palermo dopo quarant'anni di segregazione forzata."

E poi continuò:

"Sono passati molti anni e i fatti furono questi."

Il barone, scorrazzando per le vie di Castelvetrano, incurante di uomini e cose, investì un bambino. Che morì. Il capomafia, allora, incontrando il barone, si premurò di chiedere se non altro un aiuto alla famiglia del bimbo. Arrogante, il barone rispose:

"Non sono stato io perché non c'ero."

"Vero è," confermò il mafioso, come a parlare tra sé e sé. "Vossia, infatti, non è qui."

E lo fissò dritto – più che in faccia, nel petto – come a guardare nel vuoto.

E fu chiara la condanna.

Capita l'antifona, Giuseppe di Avola sparì per sempre da Castelvetrano.

La parabola insegna che la giustizia trova le proprie strade. E sono inesorabili.

Come quelle della non assenza in luogo della non presenza. Come il pennello che genera, con la fatica del ragionamento, la schiuma.

Alla cronaca bisogna credere, sempre. Anzi, alla cronàca.

Suona come uno sgranocchiare di ghiottonerie, la trasformazione della cronaca in cronàca.

Fa l'effetto di un piacere unico leggersi il giornale conquistando il riparo di un pomeriggio fatto di cose a posto, casa a posto, piatti puliti e la cena ancora da pensare. Mentre nonna

Nina si legge la cronàca, la giornata scorre con altre faccende e il giornale viene digerito in quella che è la merenda dei paesani.

Ancor più della prima pagina, più delle informazioni, è la cronàca a rendere il piatto forte. Entrando in casa, chi ha acquistato il giornale deve avere cura di nasconderlo per riservarsi il piacere di sfogliarlo per primo, prima che qualcun altro – vizioso – ne prenda possesso senza mollarlo mai.

Vizioso, il nonno Pietro, sfilava "La Sicilia" dalla prima tasca a portata di mano, si sedeva tranquillo e se la passava colonna dopo colonna, fino a leggersi la programmazione della televisione, quella della radio, quindi i film a Catania e, ovviamente, il cartellone teatrale: sia opera sia prosa.

Una volta, mio zio Nino, per non farsi sfilare la sua copia, mise in tasca un vecchio numero sperando che magari – tra le varie materie della cronàca – il padre non se n'accorgesse; e invece, improvvisamente, nonno sbottò di meraviglia:

"Ma pensa un po', ci spararono di nuovo a Togliatti?"

Legioni di paesani hanno saputo fare la loro bella figura con il giornale messo in una tasca di immacolata e dignitosa sartoria. Uno ziano, ossia una figura familiare se non proprio un parente, un tipo di Leonforte, totalmente analfabeta, si ritrovò all'incrocio tra via Umberto e via Etnea sotto il fuoco imperioso di uno strillone:

"S'accattassi 'u giurnali!" gli disse quello.

Lo ziano si difese con elegante sincerità:

"Ma io non so leggere."

Lo strillone, convincente come un seduttore alle prese con una zitella all'ultimo treno, sussurrò complice:

"E va bene: lo porta al paese!"

E fu la volta che lo zio Peppe, detto Aeroplano, con "La Sicilia" in tasca fece il suo bel figurone arrivando al paese. E fu così che portò la cronàca messa alla prova. Quella di fare figura.

A Palermo bisogna credere, sempre.

Se Palermo, capitale di Sicilia, già felice emirato di *halisah* (l'eletta), ovviamente rasa al suolo dagli americani, custodisce ancora gioielli architettonici e case stupefacenti (quasi tutte restaurate da ditte poi costrette al sequestro per riciclaggio di denaro), un debito lo ha con Salvo Lima. Il potente vicerè andreottiano lo diceva sempre: "Un giorno mi ringrazierete per aver sempre impedito l'approvazione del piano regolatore."

E a questo punto si deve dire grazie, altrimenti Palermo avrebbe avuto tutto il suo centro storico demolito dai geometri e sarebbe ridotta a due soli grandi assi viari, all'alluminio anodizzato, al cielo in cellophane, alle piante di plastica e perfino *sfinciuni*, *musso*, *calcàgnolo*, *stigghiola* e *quadume* (tutte note pietanze della cucina da strada, tutte molto *light*) sarebbero di plexiglas e non di grasso fritto saturo. In Palermo, città del noto problema, si arriva innanzitutto col postale da Napoli (da qualche anno anche da Civitavecchia) sbarcando dunque nel porto di Giafar.

Scenderci col treno è esperienza *vintage*; a usare l'automobile, poi, c'è da farsi la croce con la mano manca (vedi il noto problema); con l'aeroplano invece è quasi obbligatorio, anche perché l'esperienza vale un trattato di sociologia. Al cancello d'imbarco il viaggiatore avrà modo di osservare come i passeggeri della Freccia Alata, più che nelle altre tratte, sono una casta meritevole di molta cura; e la radiografia dei posti assegnati è il vero termometro del livello sociale. Così come dalle scorte si capisce la gerarchia (si passa dai sedici agenti dei magistrati ad alto rischio alla "singola equipaggiata" del sindaco), dai posti delle prime file si decifra la piramide dell'importanza. I primi posti sono tutti aggiudicati agli uomini del Palazzo di Giustizia, mentre a seguire ci sono i politici-statisti, altrettanto scortati. "Cosa incredibile," uno poi pensa, avendo di suo una lingua fitusa, "perché uno così, anche a volerglielo regalare ai criminali, non saprebbero neppure che cosa farsene."

Lo "scortamento ridotto" descrive il declino dell'uomo pubblico: man mano che gli si riduce la tutela, il grado di lucore sociale gli si appanna. Sua Eccellenza l'onorevole e dottore Giuseppe dei conti d'Ayala – fotografia vivente dell'inarrivabile nobiltà siciliana – segnalato tra le poltrone dai sospiri delle hostess, non ha di questi problemi, perché chiunque gli è accanto o gli s'avvicina sembra inevitabilmente un famiglio speditogli dal soprastante dei suoi feudi di San Cataldo. Anche i posti delle ultime file sono automaticamente occupati: con gli occhiuzzi tristi tristi, messi in mezzo tra i secondini, col giornale sui polsi per nascondere gli schiavettoni, ci sono i detenuti. Con tutti i processi, tra cassazione e trasferte c'è un impressionante "acchiana e scinni" da Palermo. È naturale questo "salire e scendere" d'imputati, condannati e avvocati, e il passeggero anonimo trova posto, se lo trova, solo nelle file centrali, dove al passaggio degli steward può prendersi finalmente la sua cosuzza.

Il mondo è degli sconosciuti. Così scriveva Salvo Licata: "Ogni sera, alle nove, c'era uno in cella con me che mi diceva: 'Sai che farei a quest'ora? Mi prenderei la macchina, ci metterei mia moglie e i miei figli, e me ne andrei a Mondello, a mangiarmi una bella ranfa di polpo. Al ritorno, mi metterei in pigiama e mi siederei sul balcone.' Me lo ripeteva ogni sera, alla stessa ora. E io capivo che dovevo lasciarlo sfogare."

A Palermo i riti di primavera erano proprio quelli dello sbocciare della vita, compreso lo schiudersi delle ferite fatte dal risveglio di una giornata di sole. Uscivano dalle acque di Mondello Maria Stella e Marianna. Maria Stella è bionda, celestiale, colta nel compiersi della sua adolescenza. Esce dall'acqua e come un sipario gli sguardi di tutta la spiaggia, quelli delle signore e degli uomini, accolgono questa ragazzina nell'incondizionata ammirazione. La segue Marianna, ancora gracile, magrina, costretta a nuotare con gli occhiali. Avverte l'onda di stupore che accompagna l'amica, zampetta più veloce ed entra in cabina, si ritrova nello specchio – gracile, con gli occhiali – e giù, con un pugno lo frantuma dicendo: "A 'ttia, non ti voglio vedere più." Tanti hanno dato un pugno a Palermo, quando la città ha voluto darsi ai suoi quale specchio dove trovare il proprio ritratto.

Non c'è un palermitano che faccia il palermitano. Tra le sparatine di Enrico Ragusa, raccolte nel libro di Salvo Licata, c'è questa: "Ma perché tu, palermitano, dici di essere catanese?" Risposta: "Così la brutta figura la fanno loro."

Al musicante bisogna credere, sempre. E il musicante lo sa come perdersi nella pazzia e come gocciare il dolore fino a farne un vibrato di petto, o un battere e un levare, tutto d'amore.

L'uomo di banda è un musicante. Non vive d'arte ma intanto suona. E la fa – tutta quell'arte – per la passione. È vero: forse il musicante prende la chitarra – e la fisarmonica, l'organetto, il tamburello, il bombardino e gli strumenti da fiato della banda – per arrotondare. Ma intanto suona.

Si mette dietro il Santo, il musicante, oppure va nella sala da barba. E intanto suona. Mentre il musicista, invece, di musica ci campa, vi trova un impiego.

Forse è un frustrato della musica, il musicante, ma è poeta. Ha una dolcezza tutta particolare, il musicante. Ha quella natura speciale che fa del suono che gli corre in sangue una malinconia.

Il musicante, la sua musica, se la gioca nei ritagli di tempo. E se lo trova sempre il tempo per andare a suonare, raggranella espedienti, strombetta e strombatta mentre il musicista che un tempo era di certo un musicante, diventa un mestierante, non vibra più con lo strumento: mette il pezzo d'opera, lo spartito, sul leggio. Attende trenta battute per arrivare al turno, fa "tin!", e se ne resta a braccia conserte ancora un'ora.

Certo è professore, il musicista. Sopra la testa ha il Cigno, quello del Bellini. Intorno a sé il golfo mistico il musicista, mentre davanti, sempre accigliato, ha un direttore e la bacchetta. Ha anche un sindacato e uno stipendio. Ma non è più protagonista. Non sta dietro il Santo e neppure dentro il salone del barbiere. E neppure al cimitero. Sopra la tomba. Perché il musicante che conosce solo funerali, matrimoni e processioni, è uno che si perde nella strada. È come uno scavalca-montagne perché il musicante, infine, come il teatrante, s'inventa sempre un qualcosa. Come Mario Incudine, che oggi è un artista ma è rimasto un musicante, e suona pure dentro i cimiteri. Come fece ad Alessano, sulla tomba di don Tonino Bello, il vescovo di Molfetta dove – oltre ai canti devozionali, dal repertorio suo – Mario suonò e cantò di Barabba appena liberato. Suonò e cantò, Mario, del vile caino graziato dai tanti caini radunati sul monte Cranio; suonò e cantò, dunque, di quello che lasciando Gesù sulla Croce se ne tornò a rubare e ad ammazzare per poi pentirsi e rubare ancora, certo, ma solo chiodi al mastro ferraio affinché Cristo soffrisse di meno.

Musicante, Mario cominciò da bambino, suonando alla prima messa, al Duomo, la Chiesa Madre di Enna. Era sempre troppo presto quell'Officio e senza neppure toccare il vino dell'Eucarestia erano ubriachi di sonno tutti: fedeli, sacerdote e il musicante bambino. Tanto era il sonno che spesso, l'officiante, dopo essersi inginocchiato per la Consacrazione s'alzava per inginocchiarsi nuovamente e smozzicare ancora un'altra briciola di sonno. Durava la messa, giusto a pelo per correre a scuola. Durava, durava la messa. Ma non tanto quanto la faceva durare padre Marotta. Quasi due ore di messa nella chiesa di San Tommaso perché, per una specie di nevrosi, padre Marotta ripeteva due volte tutte le preghiere. E si segnava il doppio. Sempre doppio segno di Croce.

Musicante, Mario quando non è in tournée fa ancora le serenate.

Ancora adesso a Enna, a Leonforte, ad Agira, si fanno le serenate.

E c'è tutto un preciso schema nell'arte del rallegrare l'amore custodito nei giardini. E si fa al modo degli antichi.

Serenata significa far serena la serata e se ne fanno tre di suonate.

Alla prima delle suonate, tutta cantata, la finestra è sempre chiusa.

Se ne fanno tre, dunque, e alla seconda – cantata e sussurrata – spunta il lume: lei si affaccia.

Se ne fanno tre e alla terza – cantata, gorgogliata, come in una risata tutta intonata – ovunque è luce e lei scende in strada. E si fa il primo dei tanti brindisi.

Se ne fanno tre quindi ma se dopo la prima, dopo la seconda e dopo la terza – mettiamo il caso – tutto è spento, con una quarta e poi una quinta e perfino con una sesta (tutta suonata e cantata camminando, andando via dal cortile), dalla strada, dalla piazza o dal giardino, se tutto è rimasto spento, è già bello che consumato nello sdegno.

Dopo la terza diventa sdegno e sono delle belle strofe tutte raspose ruggite sul limitare della rabbia e della comicità. A Leonforte, per dire, ce ne sono di bellissimi di stornelli del disamore. Segno che gli *inginocchiati*, ossia, i devoti d'amore mai ripagati nel sentimento, sono tanti.

Dopo la terza cantata la serenata volge a sdegno e solo una volta, a Mario Incudine, precisamente a Calascibetta, gli capitò di non poter finire neppure la seconda cantata che non solo non si accese il lume e non s'affacciò la bella, ma, all'attacco della seconda strofa, mentre il fidanzato attendeva al buio, nascosto insieme ai parenti, agli amici asserragliati intorno al buffet conviviale, si vide arrivare un'automobile con la promessa sposa ancora stropicciata da un clandestino incontro amoroso.

Lei, dunque, in macchina con un altro uomo. Il promesso sposo raggelato nell'incredulità.

Tutto si dileguò in silenzio. E Mario Incudine allora, pur sempre musicante, con faccia partecipe, grave di comprensione e però rassicurante nella discrezione, si fece dare dall'affranto innamorato le già pattuite cinquantamila lire.

Al musicante bisogna credere, sempre. E il musicante lo sa come perdersi nella pazzia e come gocciare il dolore fino a farne un vibrato di petto, o un battere e un levare, tutto d'amore. E il musicante sa anche quando il vibrato, il battere e il levare è anche quel doversene andare.

Fu un anno magnifico.

Prese la rincorsa nell'estate del 1967.

Straordinario fu. E bisogna crederci. Partì dal cocuzzolo della contrada nominata "Scienze", un punto di terra e cielo preso a caso nella residenza rurale di Cerere, la divinità del biondo raccolto.

Grandiosa fu quella giornata. L'aria del tramonto sollevava le schegge delle spighe infrante, e un asino legato con un pezzo di corda girava intorno al palo.

Incantevole, bellissimo, potente e forte di tutti i presagi fu l'avvio di quell'anno. Le spighe venivano sparse sul passo dell'animale, affinché con gli zoccoli liberasse i chicchi dalle capocchie a raggiera.

Pareva una festa spalmata sugli occhi.

Pure il profumo era gloria: pane, olive, formaggio e vino messo a sudare negli orci.

A ogni giro dell'asino, il tappeto di iuta veniva fatto saltare per far volare meglio le spoglie del frumento.

Visto da debita distanza – e io guardavo dal finestrino della macchina mentre ci si avvicinava a quella scena – sembrava un incendio. Solo che al posto delle vampe c'erano le frasche asciutte a rosseggiare, e gli uomini intorno si scaldavano al tepore del raccolto anziché al fuoco.

Fu un falò d'abbondanza quel giorno di pesata alle "Scienze".

La Filodrammatica Tano Valenti andava in scena con una commedia proprio adatta alla stagione: *Annata ricca, massaro contento.*

Anno magnifico e sazio fu quello, cominciato un'estate avanti. I primi tre sacchi pieni di grano furono caricati sull'Austin, l'utilitaria bianca comprata apposta per far dispetto alla Fiat. Una volta arrivati a casa, si poteva allegramente adempiere al rito segreto, consumato al riparo da sguardi invidiosi.

In mezzo alla bella camera da pranzo c'era una mattonella speciale. Situata sotto il tavolo, poggiava al pavimento solo per modo di dire: ballonzolava, infatti, e serviva a coprire un foro chiamato "rinale", da dove scivolava l'oro-pane. Il buco portava direttamente nel magazzino, dove il grano era già una montagna imponente incastrata tra le bucce legnose delle mandorle, le giare colme d'olio e le botti, gigantesche come i silos dell'ANAS lungo la Statale 121, e così piene di vino da poter mantenere la promessa di almeno due annate. Ricche e contente.

E fu un anno davvero magnificone.

L'estate ebbe le sue gazzose di marca Ciappazzi e la granita con i panini caldi dalla punta abbrustolita e croccante.

La Madonna del Carmelo ebbe la sua festa. Idem san Filippo il Nero. E il primo ottobre arrivò la scuola: con un anno d'anticipo – avevo appunto cinque anni – ma giusto per quel magnifico anno che fu. Per la foto ricordo, in posa in lungo e in largo sulla scalinata, si aspettò una mattina di aprile.

Una bella classe maschile, radunata in un'aula affacciata sulla via Dalmazia, che ogni venerdì veniva popolata dalle bancarelle del mercato e dal bestiame in transito. Tutto bestiame di primissima qualità: sulla schiena delle mucche si potevano contare i denari, tant'erano robuste quelle belle bestie. Ma il mondo non si concludeva lì, nel paese dei frumenti e dei ventiquattro cannoli de' principi Branciforte. Sul sedile posteriore dell'Austin, infatti, c'erano le pubblicazioni de "Il Fanalino", organizzazione universitaria della gioventù nazionale, quindi le copie de "Il Borghese", la "Rivolta Ideale"; e il gazzettino alla radio – al tempo, come di nuovo oggi – si annunciava con il fischio di un cardellino.

Un anno magnifico bussava alle porte. Arrivò il giorno dei Morti, passò Natale, e allo scoccare del 14 di gennaio il magnifico datario tra 1967 e 1969 ebbe un lugubre e triste tuono: il terremoto del Belice, che il gazzettino raccontò con voce stentorea.

Il sisma planò sulla Sicilia per rimboccare la sua larga e lunga coperta di crosta e polvere sopra oltre trecento morticini.

Già domenica pomeriggio c'erano state le prime avvisaglie. Don Aspano uscì di casa solo dopo essersi allacciato la cravatta; Giovanni Maniscalco, sindaco di Poggioreale, fece evacuare il paese e salvò tutti. Il paese di Montevago, invece, fu raso al suolo, e Rino Marino, in braccio alla sua mamma, a Castelvetrano sano e salvo ci giunse nottetempo. Bimbo di pochi mesi, Nino era tutto bianco e impolverato, con l'ombelico pieno di terra.

Fu un anno all'insegna della mobilitazione. Con i soccorsi arrivavano i primi reparti degli alpini.

Gli unici soldati conosciuti fino a quel momento erano quelli di piombo, e i camion giocattolo delle botteghe di Catania prevedevano solo autocarri dei bersaglieri dal ricco piumaggio, orgoglio e gioia dello zio Fino Erbicella. Avevano un chiodino nel fondoschiena ed erano tutti in posizione seduta, per tenerli incastrati nel cassone dell'autocarro (i soldatini erano bianchi, il camion grigio).

Gli alpini, con la loro singola penna sul cappello, si trovavano solo come pupazzetti-ricordo, con la piccozza souvenir delle Dolomiti. Nelle vetrine dei negozi stavano appaiati alle stelle alpine, da sempre favoleggiate dagli sposini al ritorno dal viaggio di nozze. E furono proprio loro, ma adesso in carne e ossa, a issare una doppia tendopoli assembleare a Castelvetrano.

Arrivarono dunque gli alpini. E con loro venne tanta altra gente. Da un lato furono alloggiati gli uomini, dall'altro le femmine.

Tutto venne separato: una catasta di padelle igieniche di qua e un mucchio di pappagalli di là (i pitali, invece, un po' tutto intorno).

I fogli dei giornali venivano tagliati ad arte, a rettangolo, adattati indifferentemente per uso di carta igienica e salvietta da barba, e comunque separati anch'essi: questi per le latrine, quelli per i rasoi.

E insieme alla gente arrivò tutta una batteria di carabattole a noi bambini ignote e perciò piene di fascino: le gavette, le marmitte da campo, i bollitori per le siringhe, le bombole d'ossigeno, le pompe rigide per la respirazione forzata, e tutta la strumenteria degli ospedali da campo, che veniva lustrata dalle suore. La squadra di sanità era tenuta costantemente all'erta. Delle partorienti si occupava Donna Biagia Tuturino.

Due ragazze dell'Esercito della Salvezza sbucarono da chissà dove e allestirono un chiosco per la distribuzione di latte in polvere e latte condensato. Poi sparirono chissà dove, forse innamorate e rapite. In realtà, tra il 14 e il 15 di quel gennaio apparve e sparì il mondo intero.

La corriera da Palermo impiegò nove ore per aggirare case e chiese crollate. Due anni prima c'era stata l'alluvione di Firenze, ma lì nel Belice non c'era rischio che si perdesse un patrimonio dell'umanità o si rovinassero opere d'arte. Mulattiere e ponti militari quelli sì, franarono. I volontari s'aspettavano di dover salvare vestigia, nobiltà di memorie e monumenti: dovettero mettere al riparo muli, pecore, galline, galli e colera. È solo tabula rasa il terremoto, e così fu al Belice.

E fu un anno di disordine e di amori. Le femmine restarono da una parte, naturalmente. Gli uomini dall'altra. Ma si faceva l'amore lo stesso. In tanta promiscuità, fu tutta una liberazione sessuale da conigliera. "Una necessità," come la spiegò il dottore Ferro, aggiungendo l'immancabile comparazione con l'odiato-amato Settentrione: "Invece quella del Nord è una moda: tutta una manica di buttane sono, con quello stare sempre col culo di fuori."

Quando alla radio non c'era il gazzettino – ovvero "il comunicato" – c'erano le canzoni:

"Se con la chitarra a bandoliera / invadono le strade i capelloni / è tutta colpa della primavera."

A proposito di puttane.

Ce n'era una che lasciava la porta socchiusa. Una furbizia, questa, affinché l'avventore in attesa vedesse già l'opera all'opera e arrivasse quindi pronto. Ce n'era un'altra che teneva la pentola sempre sul fuoco, mescolava l'acqua calda del tegamino con quella fredda della brocca, l'intiepidiva e procedeva al lavaggio di rito e alla conseguente visita dermatologica per escludere creste di gallo, alias condilomi-acuminati, e scolo, alias gonorrea. Al paese, a Castelvetrano, c'era Liliana, tanto bella che ogni cliente ci tornava almeno tre volte nello stesso pomeriggio. C'era poi Fina detta "la monaca", che era stata, per l'appunto, una suora. Ma, soprattutto, c'era la zia Gioacchina, illustre tenutaria, la prima a permettersi il lusso di costruirsi una casa in muratura dopo il terremoto del Belice, nel 1968, e capace poi di far trasferire ad Aosta il capitano dei carabinieri, che s'era impuntato di farle chiudere il bordello.

A fine febbraio, i mandorli diedero di fiore in fiore. Disordini e amori sopraggiunsero al terremoto. Le prostitute che tornavano in casa avevano cura di tenere la porta sempre socchiusa. Accorgimento molto importante, e stavolta non per scaltrezza erotica. In caso di sisma, infatti, con l'uscio aperto l'urto si propagava con meno intensità e la scossa, aiutata dall'*annacamento* della porta, si sfogava senza danni (ed era un bel vantaggio anche potersene scappare senza l'impedimento di girare la chiave).

Queste cose il gazzettino non le raccontava, né si trovavano scritte sui giornali: a farne cunto – e che cunto! – erano gli sfollati arrivati dai paesi del terremoto, riuniti nel salone del barbiere, don Antonino Russo, in via Diodorea (la "strata mastra" di Agira).

E che anno magnifico fu! Da quel 14 di gennaio fu tutta una catena di aiuti e di solidarietà. Una raccolta privata di fondi la fece Indro Montanelli: ricavò un gruzzolo che consegnò personalmente ai padri di famiglia. E tra i capi della rivoluzione seguita al terremoto, il più gigantesco fu Ludovico Corrao; e siccome la rivoluzione non si ferma mai, il benemerito capo – sempre viva Ludovico Corrao – è ancora lui, nella memoria del Cretto di Burri e di tutta Gibellina.

Certo, il terremoto impose un prezzo terribile. Tante furono le messe di suffragio delle anime dei morti. I servizi giornalistici della Settima Incom lasciavano presagire la rinascita; gli impiegati dell'ESA, Ente Sviluppo Agricolo, si facevano riprendere volentieri accanto ai funzionari della Regione sullo sfondo di case di creta e vecchi intabarrati, per scolpire in eterno il dolore di una terra sfregiata.

Gli operatori di ripresa, costretti a saltellare tra i detriti con il camice bianco, sembravano medici.

Una "emergenza sanità" dev'esserci sempre, a questo bisogna rassegnarsi; ma fu comunque un anno magnifico quello che si spartì tra il 1967 e il 1969. Si scoperchiò una giara tutta attufata di buio e di lupi cupi con la coppola: erano gli uomini muti che non solo avevano girato le spalle al mare per non avere la tentazione di partire, ma s'erano alleati con l'artrite fino a restarne piegati prendendo la forma dello zappone, la zappa larga da cui non si staccavano mai, sempre a grattare fave e verdura e a maledire fave e verdura (la verdura maritata poi al prezioso pane e al vino).

Ad Agira, quando uno di loro morì, non riuscirono a farlo giacere supino sul catafalco per via della conformazione che aveva preso in vita: a zappone, appunto. Restò a pencolare come un arco. E quando don Antonino, con la sua borsetta a busta per la saponata e la correa, venne chiamato per far la barba al morto, dovette farselo tenere fermo per completare al meglio l'opera.

A ogni colpo di rasoio, il morto calava o saliva, a seconda di pelo e contropelo. Come nello sketch di Franco Franchi e Ciccio Ingrassia.

Appoggiato solo con il deretano, il morto non voleva saperne d'irrigidirsi sulla schiena. Faceva impressione, così piegato in avanti, come per alzarsi da un momento all'altro dalla seggia. Accogliendo i dolenti e i condolenti al *consolo*, sembrava di stare sul punto di una resurrezione. L'unica era distenderlo sul fianco, come si dovette poi fare sul catafalco, e poi ancora per chiuderlo nella cassa. Venne collocato nei legni in posizione fetale, accucciato come un bimbo dalla barba dura e i sopracci-gli fitti. Un occhio rimasto socchiuso, forse indispettito.

Di muti così ce n'era pure tra gli zolfatai, autentico soviet nel bel mezzo di quell'industria mineraria prossima a trasformarli in pensionati, e si davano giustamente grande importanza. Lo notava pure Leonardo Sciascia, povero figlio, venuto a Faccia Lavata al seguito del padre, responsabile della miniera di Leonforte e Zimbalio. Toccava a loro ospitare i delegati della Camera del Lavoro per le conferenze: "La scienza del proleta-riato", manco a dirlo. Gli zolfatai erano l'avanguardia operaia. Ma quando uno dei loro figli si presentò con i capelli lunghi da "scombinato" ci furono solo mazzate, senza autocritica. Ancora lavoro per don Antonino il barbiere, convocato immancabil-mente per azzerare l'esuberanza tricologica e rivoluzionaria.

Per non dire di quando si dovette discutere del "libero amore". A un certo punto uno curioso assai domandò al compa-gno relatore: "E perciò se tua figlia Immacolata, mettiamo, vuole coricarsi con uno e poi con un altro, con il libero amore può farlo?" Il maestro Franco Ravato, ovvero il compagno rela-tore, non riuscì a trattenersi: "Ma ora cosa c'entra mia figlia in questa discussione? Immacolata se ne deve stare a casa!"

Furono mazzate. E altro lavoro per don Antonino. Ancora teste da rapare.

Che anno magnifico fu! Una bellissima valigia di latta con tutti i mestieri disegnati nei riquadri serviva da scrigno per le mappe più segrete: destinazioni dove andare per non tornare. Mentre la corriera andava e veniva da Agira, Leonforte, Catania e Palermo, trasportando studenti, c'era don Ciccio Ingallina che col camion OM andava e veniva facendo carichi di sabbia, cemento e pietrisco. Il camion, la cui musica era un rumore aspro di ferraglia, aveva un grande cilindro in cabina messo a separare i due sedili. E una branda dove allungarsi.

Don Ciccio manovrava il volante, grande davanti al suo petto, come un timone di nave, facendo forza sui polsi. Inerpicandosi lungo le curve, strette e contorte, don Ciccio, col suo camion, faceva da segnapista. E tutte le altre vetture, dietro di lui – c'erano anche furgoni, motocarri e automobili – lo seguivano come le vertebre di un unico corpo. Era un serpente che di notte, con i fanali e le braci di sigaretta degli autisti, si trasformava in un grappolo di stelle affastellate in un tino quando finalmente, giungendo ad Agira, rallegrava la montagna degli Erei sparsa tutta di barlumi.

"Ma la più bella," mi raccontava don Ciccio interrompendo una delle sue cantate a voce piena del Rigoletto, "è Calascibetta: vista da lontano, sulla sua rupe, è una scarpetta imbrillantata."

Dormire lì, nella branda del camion, fu una vera Woodstock, in quel sacco a pelo fatto a reticella. Nei rettilinei don Ciccio cantava le romanze dell'opera. Nelle curve tortuose di Regalbuto, invece, le canzoni patriottiche. E, sempre restando in tema di camion, dalle Conche si vedevano passare gli autocarri dei soldati.

Salutare i militari durante le loro dislocazioni è cosa santa. Facevano accampamenti, ma solo per addestramento. O nell'eventualità di un altro terremoto. San Filippo il Nero, ad ogni modo, protegge dai sismi e dal Diavolo. E anche quell'anno, pur così magnifico di promesse razionali, ci furono i pellegrinaggi votivi delle possedute. Poi quelli dei sinistrati. E quelli dei maltesi, infine, sempre bisognosi di protezione.

L'anno magnifico fu esistenzialista e determinato. Romantico a suo modo. Con le vene ai polsi recise. Così si presentò il giovane ribelle in farmacia. Un sognatore deciso a passare a miglior vita, presto recuperato con laccio emostatico e punti di sutura, rianimato con rosso d'uovo e gocce di Micoren, giusto il tempo di sentirgli dire:

"Ho il dolore della vita."

La folla tutta intorno chiedeva:

"Chi havi chistu?"

Risposta:

"Il dolore della vita."

Perfetto. Una volta ristabilita l'emergenza sanitaria, quindi messa in salvo la vita, il mancato suicida fu accontentato per la spettante quota di dolore: una scarica di legnate lo restituì al nitore di una bella giornata, schiarito in tutti i sensi. E ovviamente rapato. Ancora lavoro per don Antonino.

Che anno magnifico fu, con tutto quel fare feste e funerali, feste e funerali, funerali e feste. E viaggi a Catania. Con i cartelli della pubblicità lungo la Statale 121, che rallegravano anche loro, come per preparare alla luminaria delle luci di via Etnea. Lì avevano anche Sant'Agata, i ceri, le bancarelle, il torrone largo quanto una colata lavica. In paese si tornava col buio e lo spavento di vedere salire dalla vallata tutti i morti dal lago di Regalbuto. Il cimitero rifletteva i lumini sull'acqua, ed era l'Halloween della provincia di Enna.

Magnifico il tempo prima della Quaresima. Lo spettacolo del carnevale, non ancora materia di pro loco comunale, era disciplina di maestri perfettissimi: i dignitari del Circolo degli Operai e del Circolo di Compagnia, organizzatori di veglioni degni di Gorni Kramer quanto a musica e di Alberto Lupo quanto a intrattenimento.

I danzanti passavano da un circolo all'altro e da una casa all'altra. Si ballava ovunque, e i festini in casa, nelle dimore signorili affacciate su piazza Garibaldi, con i loro biliardi dalle bocce di pietra levigata, erano un trionfo di vermouth e di cabaret pieni di squisitezze. Ai martedì e ai giovedì del ballo si andava con le signore in lungo e i signori in smoking. Per i bambini c'erano i pomeriggi nelle sale del circolo. I camerieri, molto professionali, distribuivano caramelle, piccoli dolci, i biscotti a forma di S fatti a Regalbuto, e infiniti litri di gazzose.

Fu anno magnifico di trionfi. Si fece la gara per il miglior costume tra i bambini. Il più bello era quello da astronauta (il mio, modestamente). Costume che oggi, da euroasiatico, non esiterei a definire più appropriatamente da "cosmonauta".

Fu primo e destinato al premio; solo che, per il troppo rumore, per la smania di giocare, per la maledetta timidezza che mai e poi mai avrebbe permesso al cosmonauta di avvicinarsi al microfono del presentatore, finì che il primo premio se lo prese un altro, vestito da maragià.

Ma che anno magnifico fu, davvero magnifico tutto quello stare tra il 1967 e il 1969. C'erano anche le "serate delle gentildonne". Tutti portavano sopra l'abito un lungo domino – il mantello carnascialesco di raso – e tutti indossavano una maschera elegante: nera per i cavalieri, colorata per le dame. A mascherarsi dalla testa ai piedi erano solo i *malacarne*, per non farsi riconoscere.

La liberazione sessuale era tutta risolta a carnevale: sotto il travestimento si consumavano rapporti persino completi; magari in altri posti qualcuno ammazzava qualcun altro con la scusa della maschera, ma di certo il ballo era un preludio dell'eros. E il carnevale era una cosa troppo seria per rinunciare alla professionalità delle orchestrine: quella di "Lo Pumo e i boys", per esempio, con i virtuosismi di Carmelo Parano, raggiante come uno swinger in tutte le foto al Circolo di Compagnia; oppure Tano Lo Panellaro, trionfante con il suo "Complesso 2000". Tutti discettavano di tempo rock, tempo shake, tempo lento e tempo ye-ye. Tutti chiedevano a Tano, mentre faceva zum zum con le bacchette sulla batteria: "Tano, chistu chi tempo è?" E lui: "Tempo di cogliere olive."

Il fatto è chiaro: per fare la rivoluzione ci vogliono i terremoti. Rustica progenie, semper villana fuit.

"Quante ne fantasticò di tenerezze il milite Zappalà!"

Così mi disse don Vincenzo D'Agostino, ex prigioniero in India, combattente d'Africa, carduccista insigne, orientalista, volontario nella guerra di Spagna e, nel dopoguerra, epurato e votato ai suoi amori e alle campagne.

E così proseguì:

"Fece muro delle sue palpebre, le tenne chiuse, vi si appoggiò e vi contemplò l'abbandono."

Mi fece un racconto, don Vincenzo dall'occhio ceruleo.

Mi accompagnò alla ringhiera del terrazzo che si distende sul sagrato di Santa Maria per affacciarsi sulla valle del Simeto, e, con le sue parole – perché ai soldati bisogna credere sempre – mi portò al tempo della guerra. Tanto che i motori sfiatati delle Api Piaggio, affaticati nelle salite di Agira, con i loro carichi di verdura, mi risuonarono in petto come il rombo delle Fortezze volanti, gli aerei americani da bombardamento. E le piante di basilico, sui balconi, ebbero a vibrare di presagio.

La notte si prese Donnalucata.

E Zappalà, disteso sulla branda nell'oscurità dell'accampamento, trovò Lui.

E il suo pensiero, il pensiero di Lui, gli camminò innanzi e indietro.

La sua vicinanza, la vicinanza di Lui, si prese il comodo di stargli in petto.

E tutto quel tornare, il milite Zappalà, lo visse con modi bambini, nel segno dell'innocenza. Perché Lui gli era arrivato dentro come una festa.

Era stato da sempre nascosto nel suo pensiero, Lui. Ma Zappalà non lo sapeva, conosceva solo le regole dell'uso antico, sapeva solo come dire buongiorno, come farsi bagnare dall'acqua e farsi asciugare dal vento. Ma il "signorsì" lo disse a Lui, nottetempo, quando dal ritaglio di tela gli apparve la mezzaluna.

E quella falce volante restò appesa dove finisce il cielo.

Fu Selene a svelargli l'arco e le frecce: le sopracciglia e le ciglia di Lui, la curvatura dello sguardo dell'Amato.

Zappalà chiuse gli occhi e si ubriacò solo di Lui. Dentro la tenda del campo fanteria.

Anemoni, cespugli e tanto di quel mare – tutto quel ventre fatto di sale – alitarono nella notte di luglio del 1943.

E quante trappole architettò il Nemico! Si studiò il milite Zappalà in ogni suo minimo cambiamento, se lo sorvegliò anche tentando di distrarlo dall'abbraccio. Di ogni ricordo, il Nemico il cui nome è ancora Arimane fece uno sconcio reticolato fatto passare in fretta.

Soffiò sui rimorsi, sui dolori sopiti, sulle mancanze e sulle tante tagliate rimaste in faccia a Zappalà nella sua vita di ventidue anni.

Lupo della mala coscienza – che "così come opera pensa" – il Nemico s'insinuò nelle palpebre chiuse di Zappalà, soldato della milizia, e gli fece cenno di andare insieme per taverne, lontano dall'abbandono.

E gli indicò di tenersi aggrappato a una cima, la corda pesante con cui il Nemico l'avrebbe preso a sé.

Ebbro dello sguardo di Lui, Zappalà fece cenno di no, voltò le spalle al Nemico e la gomena diventò una biscia larga e nera con squame di sporca lamiera.

Spalancò le fauci e svelò la sua vera natura, trappola ultima fatta di spire.

Fu quella la notte dell'8 luglio del 1943, ultima tappa del campo nella spiaggia di Donnalucata.

Fu la notte senza sonno del milite Zappalà venuto da Marsala. Ma fu somma di quiete.

Fu la prima notte passata con Lui, in tumulto. Fermo nella felicità.

Come un segugio torna al cacciatore con la preda in bocca, così a Zappalà tornò in cuore la gioia di avere ancora tempo, prima dello spuntare del nuovo giorno, per stare con Lui; tanto da sentir sgorgare dalle labbra i Suoi Novantanove Nomi, tutti veloci come frecce, tutti scattanti – nonostante le tenebre – di fulminea luce.

Occhi chiusi, palpebre serrate, Zappalà vegliò presso di Lui e Lui se lo prese soffiando all'orecchio del cuore un amore senza rimedio.

Fu la notte che si portò lontano Zappalà, il milite.

Tutto l'amore che non rivelò si perse in un sorriso che gli fece tanto male, le ombre dilagarono nelle campagne e nei canneti, la paura si prese gli sfollati. E per le città del bagnasciuga si sparse una diceria: che un chiarore avesse toccato il milite Zappalà già dall'alba della giornata appena trascorsa.

Diventò ciarla lungo tutto lo scorrere delle ore.

Diceria di un fatto che come fu, forse non fu.

Fu così che si tennero sveglie le guardie.

Comandate di montare intorno ai depositi delle munizioni, nell'altolà e chivalà, per tutte le ore, parlarono di quella Luce.

E la sentinella davanti ai carburanti ebbe paura di ritrovare ancora un barbaglio sopra la tenda del Regio Esercito, proprio dov'erano appesi gli stivali di Zappalà:

"È Shiva che lo ha scelto," spiegò il servente al pezzo. "Sotto l'arco delle sopracciglia dell'Amato c'è l'incantesimo i cui segreti arrivano con un'improvvisata."

Nessuno ebbe voglia di farsi spiegare meglio. Le sentinelle si passarono ancora un colpo di pettine prima di rimettere l'elmetto, i soldati dentro le loro tende si girarono ancora una volta nelle loro brande, il milite Zappalà aprì gli occhi, si levò dal suo giaciglio e finalmente – ancora con l'abbandono nel cuore – cadde in adorazione per amare Lui, dimentico di sé.

Il mare alzò un ruggito, la tromba squillò e presto la notte si assottigliò in un nuovo giorno.

Arrivò alla fontana delle brocche, il milite Zappalà.

Camminò felice e sentì nella carne e nell'osso del collo l'impronta di Lui.

Bevve sorsi di luminosa brina, li assaporò dalle guance dei tulipani; e il comandante del campo – solo per questo, non per la Luce – lo guardò preoccupato: lo pensò già ammaliato, preso dalla magia ma con gli stivali tirati a lucido, perfettamente in riga con i calzoni, armato di moschetto. E lo trovò bellissimo, meritevole d'encomio.

Venne alzata la bandiera e nel campo cominciò la mobilitazione.

Cominciò il giorno della marcia d'Acate.

E la bandiera, spiegata al vento, dal campo di Marte avanzò col passo.

E fece passo, Zappalà.

Certo di essere carne nella carne di Lui, fece passo e avanzò nella sabbia. E si portava Lui nel respiro.

Fece passo sfasciando la lingua d'acqua di quel mare curioso di lambire l'avanzata del battaglione.

Fece passo innanzi al sole che iniziava a mostrare il proprio volto al mondo.

Gli aeroplani rumoreggiarono oltre i monti Iblei, le camionette stillarono dai radiatori acqua lorda di petrolio, la gente dei paesi salutò con i lenti gesti dei fazzoletti i soldati in marcia; e Zappalà fece per tutti loro il passo.

E più di tutti lo fece per Lui, fece passo al fianco di Lui, l'Amato, fece passo stringendo il fucile. E l'aria di quel luglio gli invidiò il chiarore in volto tanto da farlo proprio, tanto che fu una vampa ad annunciare il battaglione in marcia il giorno 8 di luglio, così come fu una fiammata a fermarsi sul cannocchiale del colonnello assiso da una torretta d'avvistamento a Gela, in attesa dei rinforzi.

Calò una nuova notte; il 9 di luglio andò incontro all'alba del 10, e Zappalà concluse il passo sotto il cielo in cui fuochi nuovi e adesso maligni facevano presagio di una sciagura.

Echi di corni arrivarono dal mare.

Saracinesche di ferro, i rostri di metallo calati dalle barche approdate con le onde, afferrarono la sabbia.

Una pioggia di morte accompagnò i bombardieri, e anfibi corazzati guadagnarono il bagnasciuga metro dopo metro, fermati dalla disperazione di colpi su colpi sparati dai fucili, dalle mitragliatrici e dai cannoni, col servente al pezzo che gridava:

"Per Shiva, che ci ha scelti per il suo cielo, sparate!"

Un silenzio fatto di movimenti lenti prese possesso della mente di Zappalà, il milite che aveva fatto marcia con l'Amato al fianco.

"Chi non mette la testa nel quartiere dell'Amato, soldato non è." Così parlò la voce di Lui, e Lui gli restò ancora al fianco.

Il lume della Sembianza di Lui gli fece ancora più luminoso il cuore.

Proiettili lo sfiorarono senza fretta. Come fossero rallentati nella scena.

Tutto, malgrado tutto, si fermò nel silenzio. E solo uno strappo venuto a rilento chiarì ai soldati di essere sotto il fuoco dell'invasione.

La bandiera spiegata al vento della notte di luglio ebbe assegnati gli strappi.

I primi buchi al bianco furono quelli delle pistolettate.

Una mitragliata fece gragnola al rosso.

Uno sbuffo di bomba si portò via il verde.

La battaglia dell'improvviso non riuscì ad aver ragione dell'asta, che restò salda in pugno al Branciforte. Ma fu quella sfacchinata intorno al drappo ad annunciare l'arrivo degli invasori.

Poi rovinò la sorte in una notte.

Una pallottola colpì Zappalà, il milite.

Lo colpì adagio, proprio sulla canna della gamba.

Zappalà restò in piedi e solo dopo, come per accondiscendere, cominciò a cadere. Ma gradualmente.

Come se nel frattempo le sfere dell'universo intorno a lui volessero completare le loro pigre rotazioni.

Un'altra scheggia di granata lo colse in pieno viso, e così quel chiarore intorno al volto gli diventò simile a prisma quando la luce si sfascia in rifrazione.

Il cuore esplose sotto la coltellata inferta da un pugnale così pietoso da fermargli l'agonia, e il fiume di sangue, piano piano, con comoda gravità, scivolò dal petto. E se la morte se lo prese via, una rapina d'eterno dalle dita di Lui lo svestì dei giorni e del tempo.

E Zappalà diventò una porta della casa dell'Amato.

"La via della morte non è vana verso la dimora di Lui," mormorò il servente al pezzo mentre prendeva il moschetto dalle mani già fredde del milite.

Così terminò quella nottata tanto celebre quanto dimenticata.

Gli eserciti dei cieli si strinsero in cerchio alzando le ali.

Il creato dimorò nel morto, e Zappalà, perso nell'Eterno, restò nel velo che è nel velo.

Il velo che è nel velo si fece adorazione. E i cieli radunati con gli eserciti schierati tuonarono di grazia. Nel velo.

Il milite Zappalà arrivò da chi gli prese la mano. Ancora nel velo.

E quel velo fu l'enigma di una Luce rimasta per tutti come la diceria delle città, da Donnalucata verso la punta di Marsala.

Sulla terra fatta di ieri e di oggi scese all'istante una *hurì*,
aprì gli occhi e si fece bocciolo,
sorrise un istante e fu rosa,
e foglia a foglia, lenta, si fece e si sfece sopra la terra,
tornò al cielo e restò un ricordo, un sospiro,
il profumo.

Così mi raccontò don Vincenzo. E mi restò un senso di freddo alla schiena che neppure il caldo di maggio, in quel dopopranzo, poté sciogliere.

Mi congedai da lui inghiottendo in un singulto il mio "sabbenedica, comandante", perché mai e poi mai per salutarlo ebbi a rivolgermi a lui chiamandolo "don Vincenzo". Sempre e soltanto "Sabbenedica, comandante!"

Feci dunque per andare, ma lui non mi permise di accomiatarmi. Mi invitò nella casa di una sua donna (vedovo, aveva tante "buone vicine"), aprì la porta, mi fece entrare e mi accompagnò nella stanza col balcone esposto all'aria bella. Aveva portato lì i suoi dizionari e i suoi volumi, c'era il baule militare e, sugli scaffali di legno, aveva accatastato la sua collezione di giornali.

Una stanza bellissima. Per terra, disteso come fosse dipinto e non semplicemente appoggiato, c'era un tappeto le cui frange erano perfettamente in riga, come pettinate.

Tolse le scarpe e si prosternò; poi, dopo essersi rialzato per mostrarmi alcuni petali saldati a fogli, mi rivelò il suo segreto:

"Fu un mio carceriere in India a insegnarmi tutto. Perso nell'attesa del mio destino, rimasi nel velo che è nel velo; e così imparai a preparare i miei giorni a venire, come foglia a foglia..."

E così, dunque, anche lui, don Vincenzo, mi svelò di essere stato preso da Lui, Lui che si era manifestato davanti ai suoi occhi in forma di rosa:

"Trovai un bocciolo tra le punte chiodate del reticolato, nel campo, in India. Lo raccolsi e mi sentii tornare nel più bello dei luoghi: non ho mai capito quale, però era un luogo. E pure stupendo. E così fantasticai le mie tenerezze. Il servente al pezzo, ancora ignaro di Shiva, ero io."

Ai racconti dei librai bisogna credere, sempre.

Mi hanno raccontato – due librai, appunto – di un uomo che se ne stava in un angolo in libreria a fargli compagnia e a intrattenere i clienti.

Sapeva di tante cose, specialmente di filosofia e anche come custodire una spada, questo sapeva spiegare.

Era francese.

Era arrivato a Roma negli anni cinquanta del secolo scorso, non si sapeva nulla di lui se non che era solo e senza parenti.

Un giorno morì e mentre gli amici della libreria s'interrogavano su quale rito far officiare – lamaista tibetano? slavo-ortodosso? – ebbero la visita di due eleganti, compassati giapponesi.

Presentarono un documento con tanto di sigilli imperiali e si presero in consegna il morto.

Sua Altezza Imperiale offriva a quel signore un angolo di terra nel cimitero degli Eroi, tra i samurai.

Una grande storia, quella dell'uomo in libreria.

Era stato un guerriero.

La morte non riesce a strappare i soldati al loro dovere.

C'è un punto presso Campo di Carne, in direzione delle Terre

Pontine, dove per tre notti consecutive (e non dico quali) – sempre alla stessa ora, aiutato dal vento – passa nell'aria un qualcosa che è come un lento procedere di legioni. È buio. Ma è tutto un balu-ginare di gladi e di scudi, e i passi che risuonano nel campo sono quelli degli hastati, fieri di stringere al pugno le proprie lance.

Chi assiste a questo prodigio ha modo di indovinare nelle figure in marcia la verità del sangue.

Una cosa simile accade al tramonto sull'Appia, nell'ora esatta in cui chiudono i cantieri, quando gli ispettori fanno le ricognizioni sul lavoro svolto senza disturbare gli operai. Ecco, in quel momento si può ascoltare, inconfondibile, il rombo di una Moto Guzzi 500. Ha un solo cilindro, fa tutto un tum-tum! e quel rumore (Antonio Pennacchi l'ha sentito e me lo ha raccontato) d'estate si aggiunge al tappeto delle cicale.

Fu la più bella delle guerre quella delle paludi redente. E il fantasma sulla Guzzi che gira, ogni sera, si muove per sorvegliare il sussurro dell'acqua nei canali.

All'amore dei soldati bisogna credere, sempre.

Lo Squadrone bianco con Fosco Giachetti. Per soffocare una passione non corrisposta, un ufficiale si fa destinare ai meharisti di Tripolitania. Giunto al fortino, si trova in contrasto con il rude e fiero capitano comandante. Quell'esempio gli rivela la futilità della vita trascorsa fino ad allora; e in una lunga spedizione nel deserto, all'inseguimento di una banda di ribelli, egli avrà modo di dimostrare il proprio valore. Prode nel combattimento, dopo giorni di marcia e di sete, il giovane ufficiale riconduce lo squadrone al forte dopo aver assistito alla morte eroica del capitano. Tra i civili lo attende anche la donna che l'ha respinto, ma il soldato, rinato a vita nuova, le dichiara di non voler più abbandonare il proprio dovere.

E alla foto dei militari bisogna credere, sempre.

Ai loro ritratti.

Sedicesimo comando militare di zona, Catania.

È il primo giorno di una sosta di una settimana per proseguire, poi, nelle altre caserme d'Italia.

È sera, si monta di guardia e il capoposto, Luigi Ferlito, dispone le consegne, stabilisce i turni e chiude il portone dopo che anche l'ultimo degli impiegati civili e gli altri militari hanno lasciato l'edificio.

La guardia montante è padrona della notte, che arriva portando il freddo di un novembre carico di fuliggine, la pioggia di cenere che fa nera la città, intirizzita perché lo stesso mare, con le alte onde, picchia colpi di dura tramontana.

L'alloggio antistante alle garitte è riscaldato da una stufa elettrica, la tivù trasmette un film, la sentinella resta in piedi e però risponde al saluto del monaco benedettino che dal muro confinante, passeggiando lungo il perimetro, gli fa ciao.

La caserma è in piazza San Domenico, ospitata in un palazzo confinante con il convento, e sia nel cortile – un tempo, forse, un chiostro – sia nel piccolo giardino che culmina nell'ingresso, c'è tutto un vanto di alte palme raggelate dalla stagione.

È una bugia quella del clima mite di Sicilia: quella notte c'è freddo, il freddo che è sempre inaspettato e perciò più subdolo, perché comunque arriva e mette cappello su quel paesaggio di maniche corte e granite.

C'è da coprirsi: i caloriferi sono spenti; imbacuccati, facciamo il primo giro di perlustrazione dentro la caserma. Prima le cucine, dove si consuma il rancio serale, quindi il cortile e, dopo, i corridoi e le stanze del comando dove, passo dopo passo, Ferlito, il caporal maggiore, resta ammirato della perfezione con cui le frange del tappeto – nell'ufficio del generale comandante – sono allineate come i capelli dritti di una testa quadrata. Nelle consegne, infatti, è stato affidato un rastrello adatto per pettinare anche lo scendiletto nell'alloggio dell'ufficiale; solo che quello, un simpatico capitano dei bersaglieri, ha già detto marameo:

"Ci vediamo domani per l'alzabandiera, buonanotte."

È notte, dunque. Nel percorso a ritroso ci si accorge della galleria dei ritratti. Tutti i dipinti e le foto dei comandanti susseguitisi nel corso degli anni sono incorniciati nel legno sottile di abete chiaro. Il tempo storico della caserma inizia con l'unità d'Italia. Le mura saranno appartenute a una congregazione religiosa costretta a cedere alla nazione laica e garibaldina una parte importante della struttura. I primi quadri, infatti, sono di carabinieri e di piemontesi. Negli ultimi, tutte foto, ci sono i volti dove i tempi nuovi, al netto dello stile marziale, rivelano la bonarietà di padri di famiglia.

Mancano i comandanti dell'intero periodo "famigerato". C'è però un ceffo incaricato al vertice dalle truppe alleate di occupazione, quindi la trafila con un vuoto degli anni cinquanta.

È notte e si scherza. Avendo a disposizione il tempo e l'intera caserma dove girare e guardare, ci si prende il comodo di curiosare; e non c'è bisogno di affaticarsi, perché già nella segreteria del generale – dunque nell'ufficio dell'attendente – viene esaurita la curiosità. Ecco, con l'obbligo dell'oblio per il Ventennio: il tassello mancante è datato 1950, ed è il generale Salvatore Castagna. Così si legge nella targhetta. Il quadro è infilato, obliquo, insieme a certi libri enormi illustrati tra gli scaffali della biblioteca:

"Ma è il colonnello Castagna!"

È notte e si canta:

"Colonnello non voglio il pane / dammi il piombo pel mio

moschetto / c'è la terra del mio sacchetto che per oggi mi basterà..."

Luigi sorride. C'è come l'istinto di accostare all'orecchio il ritratto. Dalle stanze del comando, lungo le scale, fino alla piazza d'armi e poi al posto di guardia, ci si passa di mano in mano la fotografia e ognuno – come con le conchiglie dalle quali si sente il mare – ascolta il racconto dall'effigie di quel soldato.

Squilli, macchine, bandiere, scoppi, sangue:

"Dimmi tu," così ciascuno interroga la foto.

Luigi scruta sornione, accoglie il delirio con un'alzata di spalla, prende la foto e la colloca sul gancio dell'asta, precisamente dove corre la corda di sostegno della bandiera:

"Ci assiste nella guardia," declama allegro il caporal maggiore.

Fa quindi un passo indietro per valutare la messa in opera, scatta nel saluto militare e, rivolto al colonnello Castagna, ripete:

"Dimmi tu."

"Cammelliere, dimmi tu," risponde il soldato incaricato del secondo turno di guardia.

E precisa meglio la strofa:

"È la Sagra di Giarabub."

Salvatore Castagna è il colonnello eroe, quello della canzone. Gli inglesi, dopo averlo sconfitto, dovettero rendere gli onori militari.

È notte e alita gelo dal buio di Catania. Il ritratto, per il momento agganciato al pennone, evoca il racconto della guerra che lo vide sconfitto, Castagna, e però invincibile. È tra le più alte nella memoria degli eroi, quella battaglia; così come la più bassa della terra per posizione (quattordici metri sotto il livello del mare), e perciò la più calda, combattuta in una fenditura del deserto, quarantacinque gradi nel riparo costruito con rami di palma la cui ombra, dove l'aria scivolava lenta e unta di brace, era più che pena per quegli uomini che non volevano acqua, ma solo il fuoco distruggitore.

È fame e sete l'epopea di Castagna e dei suoi soldati, poco più di duemila uomini. Mangiano terra e bevono il proprio sangue quei combattenti, armati solo di moschetto. Dal loro presidio, sono pronti ad affrontare i cingolati, gli aerei e le artiglierie degli inglesi.

Giarabub è la porta della Cirenaica. Confina con l'Egitto. Sulla linea del venticinquesimo meridiano, sorge la città santa della Senussia.

È piombo e veglia Giarabub, un'insonnia d'assedio lunga dieci mesi, con gli uomini sostenuti da scatolette di carne, farina e una manciata di pecore, in un paesaggio di sterminate sassaie, infiniti spazi bucati, raramente, di piccoli cespugli cupi per poi essere conquistati da un mare asciutto di ghiaia.

Il ritratto parla, e senza che nessuno se ne avveda il freddo di Catania cede il passo al caldo del deserto. È graduale il passaggio da una temperatura all'altra, ed è il soldato di sentinella a chiedere a Ferlito, col gesto muto di chi si sente soffocare, il permesso di togliere la pesante giubba.

Il ritratto parla, il racconto è così vivido che nell'angolo della piazza d'armi, proprio sul limitare con il convento dei benedettini, la macchia di biancospino nell'aiuola diventa agli occhi dei ragazzi un'altura di qualche metro formata da bidoni di benzina vuoti, ammonticchiati e resi neri dalla ruggine, accatastati col filo spinato.

Il ritratto parla, e sbuca d'improvviso l'estate perché la guardia montante – tutti, non solo la sentinella – sentendosi l'arsura in gola, cerca acqua, calda o fredda purchessia. Nella visione di palme imboschettate da una parte e della confusione di torrioni dall'altra, poi, in quell'attraversare la notte della normalità di un servizio di leva, ci si sente sporchi di polvere, sbottonati, in maniche di camicia, con i pantaloni corti.

Il ritratto parla, e sulla testa di tutti – tutti, non solo la sentinella – galleggia il disegno frastagliato di bassure dalle punte mozze, e tutti – tutti, non solo la sentinella – ormai avvolti dall'afa, sperano nel tonfo sciacquoso della borraccia appesa alla maniglia di un autocarro che porta la guardia montante – tutti, non solo la sentinella – a Giarabub.

Questo succede, e il ritratto parla. L'alloggio di servizio del Sedicesimo comando militare di zona di Catania si trasforma. La stessa stufetta elettrica si muta nel muso di un camion e le brande sono panche allineate nel cassone. Tutti – non solo la sentinella, anche il caporale Ferlito – si ritrovano nell'oasi, perché infine anche i monaci benedettini, di tanto in tanto presenti sul camminamento del loro muro perimetrale, agli occhi di quei ragazzi, tutti figli dei tempi nuovi, diventano cammellieri. Ferlito scruta ogni possibile segno di quel viaggio che dura l'intera notte. Effettivamente, fuori dal portone, il caporal maggiore scorge le nobilissime navi del deserto intente a brucare – sotto le palme che ancora oggi adornano il prospetto del comando – l'erba novella "dove già il sangue scese a rivi".

È il ritratto che parla, e la guardia montante di Catania, rapita dal racconto, scavalca il tempo e lo spazio ed è già a Giarabub. È Natale, figurarsi il salto. Passandosi di volta in volta l'unico binocolo, la guardia montante – tutti, non solo la sentinella – osserva la pattuglia libica mettere in fuga il nemico, l'inglese; ma il giorno 29, il presidio dispone di appena cinque giorni di viveri di riserva. L'indomani, una pattuglia tenta il colpo di mano e prende dei prigionieri dai quali ottiene questa informazione: la Camel

Corps, armata di ventiquattro cannoni, è partita da Siua. Sono centoventi chilometri e i camioncini inglesi sono veloci. Fatti apposta per il deserto.

Il ritratto evoca i giorni con voce roca. Fino all'11 gennaio non accade nulla. Gli aeroplani non riescono a portare il cibo. Il nemico attacca, gli italiani alzano un estremo ruggito e l'inglese torna indietro.

Il 14 gennaio gli inglesi riescono a bombardare il campo di aviazione.

Il 15 gennaio tre apparecchi italiani lanciano bombe sopra una batteria inglese.

Il 20 gennaio gli aerei riescono a fare arrivare viveri agli assediati di Giarabub.

Il 13 febbraio gli inglesi attaccano, ma il fuoco serrato di Castagna ferma l'agguato sul nascere.

Il 18 febbraio i magazzini sono vuoti; non però di munizioni. Si sparerà ancora. Un tremendo bombardamento si abbatte sull'oasi. Gli ufficiali, radunati, giurano:

"Fino alla morte."

Il 27 febbraio si conta una settimana di continui bombardamenti. Appaiono autoblinde nemiche a ovest e a nord di Giarabub. Sono respinte.

Il 3 marzo ricomincia il martellamento di ferro e fuoco. Un apparecchio nemico, infine, sorvola l'oasi. Non lancia bombe ma manifestini che il vento lascia scivolare come coriandoli in un pomeriggio di carnevale:

"Guarnigione di Giarabub! Ogni speranza di ritirata vi è tolta; la linea di comunicazione è interrotta, perciò non possono giungervi rinforzi. Desideriamo salvare le vostre vite. Arrendetevi ora. Abbassate le armi!" Il comandante Castagna ordina il fuoco. L'artiglieria canta.

Il 6 marzo il nemico attacca a mezzogiorno. Gli italiani non riescono a difendere un posto di vigilanza, ma una colonna celere provoca forti perdite al nemico mentre realizza questo successo.

Il 7 marzo, nel presidio, la situazione è disperata. Nessuno mangia più.

Il 13 marzo, per tre giorni – quando viveri cadono dal cielo, portati dagli apparecchi tricolori – gli inglesi subiscono i cannoni di Castagna.

Il 17 marzo cade El Hamra, un piccolo posto di vigilanza, ma un sottotenente con pochi uomini riesce a disperdere sette macchine nemiche e prendere possesso di una camionetta britannica con una mitragliera a bordo.

Il 18 marzo tutta la pianura desertica è affollata di uomini, artiglieria, mezzi e colonne di centotrenta macchine. L'attacco è pronto. Giarabub, in una posizione di assoluta minorità, alle quattro del pomeriggio apre il fuoco.

Il 20 marzo Castagna comunica un dispaccio alla radio. Si combatte da otto ore. I reticolati sono stati abbattuti dai carrarmati inglesi. Ci sono sanguinosi contrattacchi. Si combatte in un viluppo di ombre, ma i cannoneggiamenti a cerchio distruggono le postazioni di Giarabub.

È un novembre del 1992 quando, dal ritratto di Salvatore Castagna appeso al pennone della piazza d'armi del Sedicesimo comando di zona di Catania, la guardia montante ascolta il racconto di un lontano 21 marzo dalla remota oasi di Giarabub:

"Alle prime luci della mattina, la battaglia si è riaccesa attorno al caposaldo numero 1. Tutti gli altri capisaldi sono caduti nella notte. Il terreno intorno è sconvolto dalle esplosioni. La bandiera sventola ancora sulla torre merlata della ridotta, a poca distanza, demolita in parte dai bombardamenti. Gli assalti vengono stroncati dai soldati italiani ma sempre più debolmente. Giarabub è agli estremi. Le perdite sono forti da entrambe le parti. A mezzogiorno sono finite le munizioni. Alle 12,07 il caposaldo non può più rispondere al fuoco. È sopraffatto."

Inchiodata sul palmeto, veglia immobile la luna, a cavallo della duna sta l'antico minareto. Squilli, macchine, bandiere, scoppi, sangue, dimmi tu, che succede, cammelliere? È la sagra di Giarabub.

La guardia montante – tutti, compresa la sentinella – canta:

"Colonnello, non voglio il cambio, / qui nessuno ritorna indietro / non si cede neppure un metro, / se la morte non passerà."

Canta anche il ritratto:

"Spunta già l'erba novella / dove il sangue scese a rivi / quei fantasmi, sentinella, / sono morti o sono vivi? / E chi parla a noi vicino? / Cammelliere, non sei tu? / In ginocchio pellegrino, / sono le voci di Giarabub."

La guardia montante – tutti, con il capitano dei bersaglieri nel frattempo sceso in piazza d'armi, dopo aver assistito al prodigio dalla finestra del suo alloggio – mormora la strofa finale:

"Colonello non voglio encomi, sono morto per la mia terra, ma la fine dell'Inghilterra incomincia da Giarabub."

Canta sottovoce non senza trattenere una lacrima, il capitano, che stacca dal pennone il ritratto per tenerlo a sé.

Sorge il sole mentre il traffico della città tambureggia intorno alla caserma. La guardia smonta nel turno del nuovo giorno; e mentre s'alza la luce del giorno, quei soldati, spediti al rancio, si ritrovano di nuovo al freddo dopo una notte rovente. Si rivestono dei panni d'inverno, la stufa smette di essere il muso dell'autocarro e così le brande non sono più sedili d'autocarro ma le reti su cui confezionare il "cubo", l'ossessionante esercizio di naja, principio e termine ultimo di ogni consegna.

Si apre il portone della caserma e – passo dopo passo – in marcia verso l'alzabandiera, tutta la guarnigione scopre di calpestare sabbia, tanta sabbia, un'infinità di sabbia arrivata da chissà dove che s'alza calpestata dagli anfibi fino a fare una tempesta. Il generale comandante, giunto nel bel mezzo di quella scena, resta a bocca aperta e il capitano bersagliere, approfittando della confusione che pure vede la guardia smontante – tutti, perfino il caporal maggiore Ferlito – perfettamente allineati innanzi alla bandiera spiegata al vento, nasconde nella propria automobile il ritratto del colonnello Castagna. Per portarlo via da lì dove era stato dimenticato e assicurargli una diversa dignità in un altro luogo.

Dune improvvise tracimano dai portici, e i monaci benedettini, avvisati dal frastuono, invocano la misericordia temendo una suggestione del maligno. E solo la guardia smontante – tutti, avendo avuto tutti il privilegio dell'ascolto – rompe infine le righe per andare via verso la punizione esemplare per non aver impedito ai fantasmi di prendere possesso della caserma.

E dunque a loro, a tutti, guardia smontante cui è data l'immediata consegna, non resta che dileguarsi negli alloggi, pur calzando i pesanti anfibi, con il fruscio leggero di sandali nella sabbia.

Alla sabbia bisogna credere, sempre.

Conosco taluni ai quali è accaduto di scivolare nella delicata sensibilità degli spiriti superiori a causa di un incidente del destino, perfino quello di ereditare un palazzo nei cui appartamenti è custodita la sempre cangiante poesia della storia e farne così parte.

Ho visitato una dimora, la cui chiave oggi è di una severa ragaz-

za, dove la traccia del passato e quella del futuro non vanno per itinerari opposti ma convivono in una stessa clessidra.

Squadre di parenti scavatori si sono rovinati nell'inseguire la chimera di mettere le mani su qualche prezioso carico da rivendere in qualunque mercato; e, invece – a parte abiti, sahariane, uniformi e vertigini di scialli per le signore, e ancora carte, documenti, libri e onorificenze, tra le quali una medaglia d'oro al valor militare – il vero tesoro custodito nella penombra di uno studio solenne come la grotta della Sibilla, dove si arriva per battagliare ancora non senza ascoltare i fatali presagi, è proprio nella polvere, meglio: nella sabbia.

E ce n'è tanta, sparsa sul pavimento, portata dal deserto e depositata come a costeggiare i mobili al punto di replicare le dune.

Il palazzo è a Roma e la sabbia è quella di El Alamein. Tutto ciò che dalla clessidra scende per depositarsi sul fondo del vetro risale per ricominciare: così in quella casa; e quello scalpiccio leggero, suggerisce il motto della lapide più remota, dice:

"Noi torneremo."

Prendere respiro e farsi avanti. Accostarsi con grazia. Toccare, quindi.

Chi sta per morire coltiva la meraviglia della situazione; e quel toccare acuisce in lui la gioia di averla avuta tutta quella vita, mentre i vivi, sazi, lasciano accesa la propria esistenza come una macchina ferma al semaforo, pronta a ripartire, senza spegnere il motore. Per loro, i vivi, dopo il rosso torna sempre il verde. Per gli altri, i morti, l'unica luce è la candela, e solo finché resta qualcosa delle esequie.

Intanto, l'attesa. La fibra è diafana e nell'occhio di marasma e fatica di chi muore si trascolora il racconto delle sensazioni. La stanza del degente è subito abitata dalle voci e dai rumori del passato. Chi sta per morire odia e ama, sprofonda e s'erge, ma infine assorbe ogni cosa come a voler risucchiare in un buco – un tascapane da viaggio – il calore di quel contatto. Chi sta per morire ascolta, anche a sproposito; e qualcuno – succede sempre – gli affida messaggi di saluto per i propri cari già arrivati nell'aldilà.

A chi sta per morire bisogna credere, sempre.

Ho tenuto la mano di zio Pino. Ho baciato il suo braccio infilzato di aghi. Ho posato la guancia nell'incavo del suo gomito e mi sono immerso nei suoi occhi, volti verso la penombra dell'ospedale. Ho cercato l'incresparsi del suo sguardo: un lago.

Fu da quell'acqua che zio Pino, prossimo alla morte, proprio in quella stanza fece apparire per me, perché ne partecipassi, suo nonno Nino, i suoi fratelli, i suoi cugini – ossia tutti i miei zii – radunati in una giornata di festa a Faccia Lavata, la contrada prossima alla Zolfara.

Zio Pino mi parla, e non è un naufrago che si dispera per tenersi a galla. Tuffato e travolto nell'eterno e nell'ignoto di una fatica di flebo e ossigeno, in quel salto ridiventa bambino; e mi parla mostrandomi se stesso marmocchio. Ha le guance piene perché sta mangiando di gusto i fichidindia; ne ha altri due nella mano destra, e due nella sinistra; con il piede indica al nonno, che sta sbucciando la frutta armato di coltello, gli altri fichidindia che vuole destinati a sé, mentre i fratellini e i cuginetti, in attesa di avere anche loro il premio, se ne stanno in fila, dietro di lui che è il più piccino. E aspettano inutilmente, perché il nonno solo a lui, così coccolato e vispo, destina i frutti più buoni; e gli altri marmocchi, nipoti allo stesso modo, pur nell'egoismo dell'infanzia vogliono bene al piccolo Pino, e senza troppa foga né troppa speranza, spingendosi l'un l'altro, pigolano:

"A 'mmia, a 'mmia!"

Tutto questo mentre il nonno porge un altro frutto sbucciato al piccolo Pino e gli dice:

"Pi' 'ttia, pi' 'ttia!"

Ecco, siamo in ospedale e siamo però anche in campagna. E zio Pino, con il vento leggero del suo respiro, mi fa vedere quella scena in maniera così vivida che, pur in ospedale, io sento la carezza delle foglie del gelso, ancora oggi generoso a Faccia Lavata. E respiro il profumo del grano che risale i declivi della

Curva ’o Monaco, l’ultimo tornante di collina che apparecchia la visione di Leonforte per chi viene dalla valle di Kore. E zio Pino, giunto alla sua ultima ora, mi svela il segreto pazzo dell’amore sussurrandomi il ricordo di quella giornata di fichidindia, aggrappato alla lama di nonno Nino.

Sono uscito dall’ospedale. Ho salutato tutti. Ho mandato un ultimo bacio a lui varcando la soglia della stanza, a lui che non avrei più rivisto con quel lago di luce, il suo sguardo, con quel lieve vento, la sua voce; e mi sono ritrovato per strada. A Catania hanno un sesto senso per riconoscere i paesani. Proprio davanti al Vittorio Emanuele, l’ospedale, mi ha fermato un tipo, mi ha mostrato il carico della sua Lapa e mi ha detto:

“Se li prendesse questi belli fichidindia, se li portasse al paese!”

Mi sono infilato in un vicolo, ho chiamato al telefono Elsie e mi sono fatto un pianto di pazzo amore, facendo piangere pure lei con il racconto della giornata di Faccia Lavata, con tutta quella vita di ieri precipitata, con le voci e l’allegria pur nella stanza d’ospedale.

Poi ho asciugato le lacrime, ho fatto la faccia finta, ho sorriso all’ambulante e, con il piede, perché stavo soffiandomi il naso, ho indicato un paniere pieno messo accanto alla ruota del motocarro:

“Me li dia tutti. Li porto tutti al paese!”

Ai morti bisogna credere, per sempre.

Ai morti si liscia la testa. Come cantava Ignazio Buttitta, i morti – dentro la cassa – sono come i più cari frutti del giardino, sono tesori. Ai morti si rimbocca la terra sulla bara, come fosse una coperta stesa a filo col cuscino.

C'è un cammino al confine tra la vita e la morte. Ed è sentiero a direzione unica: secondo regola si va avanti e basta, verso un eterno grande Uno che non è dato conoscere né capire. Eppure c'è chi ha fatto il passo indietro ed è tornato.

Chi è tornato dalla morte – venendo via da uno stato di coma, da valori di azoto e globuli incompatibili con la vita – ha fatto sempre lo stesso racconto di luce e di incontri. Ha rivisto se stesso bambino. Umberto Scapagnini – così mi raccontò quando, da uno stato di morte clinica, fu incredibilmente restituito alla coscienza – si era ritrovato tra le braccia della madre.

Chi torna indietro si ripresenta nella casa dell'infanzia, quindi si accende d'innocenza e d'entusiasmo per la propria vita, resa ancor più mirabile nella completezza del paragone. C'è il prima della morte riunito al dopo nell'istante della serenità, anche questo mi disse Scapagnini. Dopo di che c'è un risveglio. E anche su questo Scapagnini ebbe a svelarmi i dettagli della riacquisita sensibilità. Si era ritrovato sulle dita il brivido di una seta struggente quanto a delicatezza: la schiena della sua giovane fidanzata. Addormentata accanto a lui per vegliarne il trapasso.

Tornò, invece, Umberto e mi spiegò che si torna al tictac dell'orologio, che è una nuova nascita ma anche una ben precisa morte. Le Moire, infatti, rinnovano la scadenza. E Umberto, adesso, non è più. È in cammino.

Alla verità bisogna credere, alla realtà no.

La verità è una cosa, la realtà è un'altra. Ciò che è reale può essere una menzogna, anzi, il micragnoso mondo delle cose è quanto di più distante dal vero, perché l'accadere dei fatti, nel tempo, negli orologi del divenire lineare, è materia propria dell'illusione e non del disvelamento. Vince sempre, infatti, il Principe di questo mondo. Vince nelle guerre, dissemina le falsità e istruisce il predominio dell'uomo sull'uomo. Il reale demone del Male, in quella storta idea innaturale che è la civilizzazione, poi, offre il ragionevole istinto umanitario. E con questo, dispone, col disegno dell'Illuminazione, una stupida parodia.

E la luce, infatti, non è favola. È carnalmente presente ma trasfigurata nell'archetipo di contemplazione e potenza. È la comprensione dell'origine, la sorgente da cui tutto trabocca. Così mi ha detto ieri lo sceicco Omar spiegandomi – tra gli approcci diversi a un'unica verità – l'iconostasi degli ortodossi. Per quella forza dell'Inviolato di attrarre l'uomo all'ascesi. L'invisibile è verità, tutto ciò che si vede, invece, è menzogna. Perfino la cacca al mattino.

Noi fummo come astri di una notte, in mezzo ai quali c'è una luna, così mi ha detto sheikh Omar.

"È la lucerna che illumina le tenebre."

E ora tra noi calò lei: la luna.

Dalla sabbia delle clessidre la luna solleva un potente vento e si curva nella volta dei cieli per contenere – da dritta e da manca – tutti coloro che si sottrassero alla tomba.

Tutti quelli che però, del sepolcro, furono ostaggi, tratti dalle grinfie dei demoni, per arrivare adesso al prodigio del chiarore.

Simile al colore del sale è l'inquietudine di chi gode dei segni del tempo, come quel mangiare il cuore, palpitante di vana vita.

La luna, mi ha detto ancora Omar, è una barca che vola nei cieli e conduce con sé cavalli dagli occhi che stillano fierezza.

Alitano dalle froge bolle di gelsomino e rose.

Inastano nelle bardature lance dall'asta lunga e, nei foderi – legati alle selle – attendono le scimitarre dalle lame eccellenti.

E attendono i guerrieri.

Dal generoso cuore.

La fine di tutto, quella Fine che sarà il Principio, sarà un torneo.

Dopo di che è Shaitan, Satana, a strappare dal petto il cuore dei soldati per nutrirsene. Come Pasquale Barra, detto 'o Animale (che non è certo un cavallo e non vola con la luna).

Ai morti bisogna dunque credere. Alla morte mai, perché dilaga il rosso.

Aleggia perfino tra gli azzurri del giorno pieno, e in città non c'è angolo che non offra il colore dell'agonia a chi ha occhi nel cuore.

Si va per foglie affinché lo sguardo si faccia ricettacolo di una verità fuori canone: quella di raggiungere una fine del mondo camminando.

Non vale, però, farlo nei parchi pubblici. Lì la fiumana di rosso è quasi parodia.

È qualcosa di simile alla natura fuori ciclo, come gli stalloni che non sanno più far la monta e devono intervenire i veterinari.

Tutto è in fiamme, tutto è inseparabile – "come tu e io", direbbe il dio dei tuffi – e si pone fine alla sofferenza quando il rosso è al culmine.

Straripa il rosso oltre i viali, affluisce fin dentro le tasche sempre piene di rametti spezzettati, si frange sui vetri della biblioteca di un grande soldato, Medaglia d'oro al valor militare 1943, affinché perfino l'esistenza del non esistente sia portata a definitiva scomparsa e perché, infine – e qui il suono di una campana impone una pausa – gli spiriti affamati, i nobili mani del regno dei padri, possano rassicurarci su un fatto assai semplice: la morte non è la fine di tutto.

Al dolore dei vedovi bisogna credere, sempre.

Sono i vedovi a perdere il senno, peggio di Orlando che poi il proprio raziocinio se lo va a cercare fin sulla luna.

"Un lago."

Lo ascolto e la sua voce si fa orba di respiro.

"Ti toglie il fiato," mi dice Lando Buzzanca.

E quel suo rigoglioso parlare, ascoltandolo, si fa spada.

"È come a voler annottare con l'imbrunire, come sentirsi portare il cuore dentro un dolore tutto sfasciato nella dolcezza," spiega ancora.

"Ed è come un lago smosso di tanto in tanto da un passo, uno specchio d'acqua su cui un soffio fa sbocciare un fremito."

"Ed è così che ogni volta penso che ci sia."

"Lucia Peralta, mia moglie. Palermitana come me. La sua famiglia è quella della rinomata gioielleria di via Ruggero Settimo."

"Ogni volta che mi muovo, quando mi alzo dal letto, quando

accendo la tivù, mi muovo con circospezione perché ho paura di svegliarla. C'è la sua foto. Con la dedica fatta dalle mie nipoti: 'La più bella donna del mondo.' Non ho bisogno di andare al cimitero, perché mia moglie sta con me, nella nostra camera. Lei aveva paura della bara, era così incredibile – così impossibile – l'idea del morire che le sembrava spaventoso svegliarsi dentro il tabuto. Ha voluto farsi cremare, e adesso la sua urna me la tengo accanto. Dove dormo io. Non mi fa impressione, anzi. Lei non è in quelle ceneri, lei c'è perché è con me. Mi sta accanto."

"Ed è così che fa l'animale. Quando lei è morta tutta la mia vita se n'è andata con lei. E io nel non averla più con me sono come la bestia fatta pazza di dolore. L'animale che ha perso la compagna gira intorno a se stesso per impregnarsi d'amore, per accucciarsi nella propria tana: ma non si trova niente, amico mio, niente: tutto finisce."

"Non lo so, forse hanno ragione quelli che parlano di una vita migliore, dopo. Mi conforta sapere di poter parlare con lei. Come se fosse viva."

"Ma il mio matrimonio non si è concluso con la sua assenza, lo capisco. In cinquant'anni di vita passata insieme ho preso da lei solo tre schiaffi; e io che sono stato un vigliacco le avrei volentieri dato una terza guancia da porgere, ma non ce l'avevo, potevo darle solo amore. E facevo 'all'amore' con lei, sempre, tornando a casa, restando con lei. Ho sempre fatto di mia moglie la mia amata, la mia amante."

"Non puoi dire di no a una fica imperiale che ti dice 'vieni, raggiungimi nella mia suite'. Nel mio lavoro era tutto un attraversare cosce, e come fa uno come me, un ossimoro quale io sono – mescolato al dolore alla gioia, al dovere e alla fantasia – a rifiutare un invito di lussuria? E però poi tornavo da lei e alla nostra empatia, ai nostri giochi..."

"Mi sento stretto nel torchio della vita, sento le tenaglie della vita mordermi la carne. Sono italiano, o meglio: siciliano. Sono roccia, vulcano e gelsomino. Sono stato geloso, furioso, scatenato. E lo sono ancora. Come un'estate di tanto tempo fa. Era appena nato Mario. Ci trovavamo in via Maqueda, a Palermo, nei pressi di piazza Pretoria. Era una rovente giornata d'estate e un giovanotto struscia il braccio su quello di mia moglie. Me la sono sentita violata quella mia adorata. L'ho preso per il collo e l'ho sbattuto su un muro, l'ho preso a testate, fino a quando una guardia è venuta addosso a me per strapparmelo. 'Vattene!' mi diceva, 'vattene! Altrimenti ti devo arrestare'."

"Ogni volta che sentiva su di sé uno sguardo diceva ai bambini: 'Non lo dite a vostro padre.' E così ogni volta che poteva capitare qualcosa di spiacevole. Temeva la mia reazione. Come quando un malacarne telefonava a casa nostra, a Roma, per chiedere il pizzo. Una sera mi trovai io a rispondere. Mi disse che servivano soldi per aiutare amici bisognosi. 'Vieni sotto casa mia,' gli dissi. 'Vieni che ti strappo le emorroidi e te le caccio in gola!'"

"Mi replicava 'A 'mmia, a 'mmia?' 'A 'ttia, a 'ttia,' gli rispondevo io. L'ho aspettato un'ora e mezza sotto casa. Non si fece vedere."

"È solo il valore estremo che diamo all'amore. È solo l'amore che scatena in noi l'estremo. E dopo ogni passione c'è la quiete. Di tanto in tanto toccata da un passo. Da un sussulto. E dal silenzio."

E dice la parola silenzio, Lando, ed è un silenzio che nel vuoto del lutto si fa luce.

Tutto è per sempre. Perfino Eraclito, nella fretta di mettersi al passo, aveva sbagliato l'idea del Divenire: tutto può anche scorrere per sparire e smarrirsi, ma liberarsi di un morto è faccenda ben diversa dall'uccidere un vivo.

I morti tornano. Uno dopo l'altro. Dalla storia, come dalla preistoria. Come ne *I primi tornarono a nuoto*, un romanzo di Giacomo Papi: tornano e ricominciano da dove tutto era finito. Mangiano, fanno l'amore, e gli capita anche di crepare. Possono di nuovo morire, infatti.

Nulla si era concluso nella tomba, e tutto ricomincia. Tutto è per sempre; e tutti, a quel sempre, fanno ritorno. I morti hanno polpa viva, più di quanta ne abbiano i vivi. Non sono zombie, non hanno sudari e dalla loro bocca non escono i vermi della decomposizione, ma fiori odorosi di vita nuova.

I vermi, appunto. Se fosse possibile prendere a prestito il sottofondo di *Fenesta ca lucive*, canzone del canone poetico siciliano, già la malinconia degli innamorati, in contesto cinquecentesco, ci darebbe un doloroso conforto. Ed è proprio la visione della bara, resa tremula dalle lucerne, a non spegnere la potenza dirompente della passione. Il disfacimento della carne, visitata dai vermi, accende l'amore più che la memoria:

"Ancora all'uocchie mieje tu pare bella!"

I vermi brulicano nell'impasto del cosmo. Di *Fenesta*, attribuita a Vincenzo Bellini, esiste una versione eseguita alla chitarra da Giorgio Gaber e cantata da Gino Paoli. Nel video del brano, trasmesso a suo tempo da RAI1, s'intravede un elegante Paolo Poli intento ad accendersi una sigaretta mentre intorno a lui si canta di Nennella, morta e sotterrata: Nennella che piangeva nel suo dover dormire sempre da sola, Nennella che adesso dai morti è accompagnata.

La morte, *gravitas* per eccellenza, non è messa in scena. Non ci sono tombe scoperchiate, né pipistrelli, né teschi da impiastricciare di biacca a uso di Amleti: "Sti pagliacciate 'e fanno sulu 'e vive," sentenzia Totò nella celeberrima *Livella*, dialogo a bordo tomba tra un titolato e un netturbino, regolarmente morti.

I morti, si sa, sono chiacchieroni. Come nelle *Operette morali* di Leopardi. La prosopopea quale genere artistico o figura retorica è sempre parola data ai defunti. Come nelle abusate interviste impossibili. Quasi peggio delle sedute spiritiche. I morti hanno un'elaborata alchimia nel loro rincorrere l'Apocalisse e il Dì del Giudizio. Gunther von Hagens, l'inventore della plastinazione, tecnica che consente la conservazione della carne dei morti, ha fatto un uso spettacolare dei cadaveri ma ha dimenticato il monito dei suoi antenati pellegrini in cerca di Agartha, il cuore della terra, nelle prossimità del Tibet: "Presta attenzione nella zona dove i morti non pesano più, dove i morti si mescolano ai vivi."

La prossimità alla morte è un corteggiamento giunto a buon fine, quello del Casanova. Ci si fidanza con la morte tra i miasmi dell'esistenzialismo, solo l'Oriente dei samurai sa apparecchiare con estenuante eleganza la morte. Lo sanno bene i morti, figli del Vento Divino, che attendono ben trenta e tre anni tra le colline per poi tornare all'Eterno con i petali dei ciliegi quando col vento si spogliano dei loro fiori.

Tutto è derivato dalla morte e tutto ha origine da un totem: il tetro portale degli Inferi. E se perfino il tabù dell'incesto, l'amore di un fratello per la sorella Astarte, come nel *Manfred* di Byron, ha generato la pagina perfetta della commozione ("la tua fossa non t'ha mutata quanto ha mutato me, quantunque fosse il più empio dei peccati amarci come noi ci amammo"), bisogna proprio lasciarsi cullare da questo spartito, specie nella versione scenica di Carmelo Bene (musica di Robert Schumann): ed è allora che la compostezza della morte può anche attendere la fiaba, la bella e morta damina "addormentata nel bosco" cui solo un bacio, lo schiudersi del fiore roseo delle labbra, può ridare porpora alle gote e vivida luce alle pupille.

Tutto è morte, dunque tutto si restituisce alla vita. E c'è la morte vestita a festa, quando l'amore vi si specchia. Ogni cuntista sa come far sgorgare lacrime dal proprio pubblico evocando lo strazio di Michael Corleone, il Padrino di Mario Puzo, per Apollonia, ragazza fatta moglie dopo un solo sguardo, per poi volarsene nel cielo delle Madonie dopo una carica di tritolo. Per dirla con Eliot, "le strade" della vita "si susseguono come un tedioso argomento d'ingannevole intento". L'ingannevole intento di ogni vita.

La forma più elegante di eutanasia è quella in uso presso i contadini. Quando un uomo è già in viaggio ma non riesce a spegnersi perché la sua anima, addolorata, non trova il modo di staccarsi dal corpo, non ha cuore di abbandonare i suoi cari o non trova coraggio ad affrontare la tomba, lo si porta accanto a una finestra aperta affinché il cielo, rincuorandolo, possa chiamarlo. Se, nonostante ciò, l'uomo non muore ancora, perché di certo l'anima è rintanata in una stanza e forse è chiusa in uno sgabuzzino, allora si tolgono alcune tegole dal tetto oppure si scoperchia il comignolo, perché spesso è dal fumaiolo che si prende la via per andare nell'aldilà.

Una volta accadde con un capomafia. Vecchissimo, nella sua eterna latitanza, affrontò l'agonia in una lentezza estrema e i suoi custodi, non sapendo come aiutarlo nel trapasso – avendo già aperto la finestra, avendo tolto perfino le travi al soffitto – lo portarono fuori, su un'altura, e lo vestirono come fosse morto, ne chiusero la mandibola già spalancata con un fazzoletto, quindi fecero lo stesso con i piedi, serrati e dritti nella stretta di una stoffa, convocarono di nascosto un prete, questi impartì il suo requiem e dopo, bagnato d'acqua santa – se davvero lo sentì o lo capì la sua infelice anima – dopo aver sentito il suo uomo più fidato dirgli "Ora vossia può stare tranquillo", il capomafia morì. E gli chiusero infine gli occhi. Fu lasciato su quell'altura dove neppure un'ora dopo, vestito con l'abito della morte, lo trovarono i carabinieri, doverosamente avvisati con una telefonata anonima. E lo trovarono già pronto per il catafalco. Con i manifesti dell'annuncio funebre lasciati accanto a una corona di fiori.

Al destino bisogna credere, sempre.

Ed era destino che Turi trovasse se stesso dove nessuno dei suoi amici, la mia comitiva di amici, poteva mai raggiungerlo.

Era come me, come quelli come me; ed era come noi e forse tra i più sfrontati, questo era. Era compare al dio Pan, se solo il dio Pan avesse avuto compari.

E il destino – un fato tutto suo – se lo portò via.

La prima cosa che vidi, fu il giornale.

Una copia de "La Sicilia", il quotidiano di Catania, squadernata sul sedile posteriore della Fiat Ritmo verde scuro abbandonata al km 12 della strada provinciale che da Viagrande porta a Fleri.

Fu sotto un castagno che vidi ciò che mai saprò dimenticare.

Quell'albero – ricordo ancora la mia prima impressione – era grande e largo ma basso: quasi un immenso cespuglio buono per infrattarsi.

Il castagno aveva già seminato tutte le bucce intorno al tronco. E da ogni parte era fango e terra gonfia di pioggia.

Camminai cauto, ma ebbi subito le scarpe cariche di foglie e scorze di castagne.

E quel limo di cenere che è proprio del vulcano.

La prima cosa che vidi fu dunque quel giornale, e per l'esattezza la pagina di cronaca sportiva, poggiata sul pianale del lunotto, con sopra tutta una cosa bagnata e molle.

Non perciò il sangue.

Quello era già colato a fontana lungo lo schienale del sedile anteriore destro. E dal poggiatesta ormai incrostato.

E fu solo in un secondo tempo che mi resi conto di vedere Turi fatto morto.

Abbandonato in quella macchina con il quadro elettrico ancora acceso.

Il lampeggiante della polizia, un flash a intermittenza sulla scena del crimine, svelava – ora sì, ora no – lo sbrego che la pallottola gli aveva fatto in testa a Turi.

"Un lavoro fatto bene," disse Jano, scattando un rullino di pellicola.

"Proprio bene, certo," confermò il commissario Marco Catana, atterrito ma attento che non facessi danno trovandomi lì dove di certo non sarei dovuto essere. E non solo per non dare intralcio al suo ispettore, armato di macchina fotografica per eseguire la raffica di istantanee.

"Un colpo a volo d'angelo," decretò ancora una volta Jano Scuderi, l'ispettore cui l'istinto aveva fatto capire, una volta per tutte, che la situazione doveva prenderla in mano lui, visto che il commissario, visibilmente provato – peggio di me, che non ho manco il suo mestiere – balbettava quasi per inerzia:

"Chiamate la scie-scie-scientifica."

In quel mentre tutti – Jano, gli autisti, io e Marco – ci staccammo dalla scena. Il morto continuò a fare il morto, e ognuno si trovò un posto.

E Marco, appunto, si buttò sul sedile della sua Alfetta e si fece un pianto.

Gli avevano sparato dall'alto.
Il solito colpo di pistola con il polso piegato in giù.
Dalla testa fino all'anca destra. Il proiettile era rimasto incastrato nell'osso.
Manco il fastidio di bucare il velluto.

Io, lì, non sono un poliziotto.
Sono solo un amico.
Amico di tutt'e due: del commissario e del morto, Turi.
E la prima cosa vista, tutta bagnata e molle, era una polpetta tremula; anzi, uno sformato.
E fu una fortuna che fosse inverno, e pungente di freddo. Altrimenti, quella pappa l'avremmo trovata coperta di mosche anziché del significato in sé, della scena in sé, come a volerci raccontare il cosa e il come.

Fu che mentre uno freddava Turi, un altro parava il "sacco", ossia il giornale, per raccogliere il cervello dalla calotta cranica massacrata dal colpo sparato a bruciapelo.
E chissà quanto sangue gli spruzzò addosso; chissà che maschera di sangue dovettero ricavare i killer da un colpo così ravvicinato.
"'A doccia si saranno fatti," commentò Jano mentre già scendevano dalle auto i suoi colleghi della scientifica.
"Una doccia calda," rispose il dottor Rubino, capo della scientifica. "Se ne saranno andati via come zombie, come vampiri," completò di dire, senza preoccuparsi di Marco, pallido e freddo di febbre al volante della sua macchina.
"Lui chi è?" domandò Rubino chiedendo di me a Jano.
"Un amico del commissario. Erano insieme quando ho chiamato Catana. Ho appena provveduto a far arrivare una volante per accompagnarlo."

"Fate accompagnare anche il commissario, non mi pare che si senta bene."

"Il commissario..." fece per rispondere Jano, che avrebbe voluto dire "il commissario oggi era in permesso, l'ho chiamato io, era a Fleri ed è venuto di corsa, in compagnia del suo amico..."

Ma Jano venne bloccato da Marco che, riemerso dalla sua auto, prese in pugno la situazione:

"Non ti preoccupare, Rubino: è passato tutto, ho solo avuto un mancamento."

"Eppure ne hai viste di cose, perfino peggiori," commentò non senza malizia il capo della scientifica.

"Siamo cresciuti insieme io e Turi. E non c'eravamo mai persi di vista. Anche quando le nostre strade sono cambiate. Ciascuno col proprio ruolo, certo. Io con la pistola e lui pure. Io lo tenevo d'occhio. Ma purtroppo, come puoi verificare adesso, l'ho perso di vista..."

Marco non era riuscito ad arrestarlo e Turi, dunque, era stato ucciso. Questo fu il fatto.

Quindi Marco si avvicinò a me e mi accompagnò all'auto che mi avrebbe portato a Catania, in albergo. Ci abbracciammo forte; e il pianto violento, seduto accanto all'agente che mi portò via da lì, me lo feci io. Con quella prima cosa vista, il giornale, appiccicata nella mente. Ancora adesso.

L'ultima volta che avevo visto Turi era stata a Letojanni.

Me ne stavo lì, in villeggiatura, e sentii una voce allegra chiamarmi.

Io mi aggiravo per le scale e gli anfratti di un centro residenziale costruito sulla collina antistante al ponte dell'autostrada Messina-Catania.

Era tutto un groviglio di case, aiuole e superfetazioni che

culminavano in un albergo, l'Antares. E, in un terrazzo, individuai la voce.

Era Turi. E fu grande la sorpresa, perché io lo sapevo, e lo sapevano tutti gli amici, Marco più di tutti: Turi era latitante.

Più che scappare dalla polizia, però – e da Marco, dunque – scappava dai suoi.

"Che fai qui?" gli chiesi

"Mi faccio qualche giorno," rispose. Non era, certo, abbronzato. Era tutto sorriso. E capii. Meglio: ebbi conferma.

Dopo di che, Turi non si fece nessun giorno. Dopo solo cinque minuti, infatti, non c'era più. Tornando dalla spiaggia, ebbi difficoltà a individuare perfino il terrazzo. Eppure era stato lui a chiamarmi. Ma adesso era scomparso.

Turi era diventato mafioso. Questo è il fatto.

E nessuno di noi, tutti noi amici, ne ebbe sentore quando tutto cominciò con Turi che se n'era andato a Milano, aveva trovato la sua strada, era diventato bravo nel mestiere suo di manager degli anni ottanta presso un'importante azienda farmaceutica quando poi, dopo un'informativa redatta dai carabinieri, relativa al quartiere, alla famiglia d'origine, convinse l'amministratore delegato, il suo principale, a licenziarlo.

Turi tornò a Catania, con uno di quegli aerei foderati di tessuti Trussardi, e se ne stette con tutti noi, nel giro degli amici, a far la solita vita nostra e però col peso, confinato nel ripostiglio più segreto delle sue amarezze, di aver perso la scommessa professionale a Milano.

Turi era speciale. Era un mostro di simpatia ed era grande e grosso, una specie di albero, per come s'era formato negli anni da ragazzo, al rugby.

Turi non sapeva stare fermo e maturava la propria inquietudine leggendo e litigando, e leggeva e litigava soprattutto con Tino, diventato nel frattempo docente all'università, cui offriva, con ogni giorno della propria dissipazione, spunti per rinnovare l'analisi del marxismo applicato; perché Turi, al contrario rispetto ai delinquenti, non era un alienato del sottosviluppo ma un guascone, un innamorato della teppa al punto di stare a guardare i suoi vecchi compagni d'infanzia – quelli del quartiere – con la passione dell'entomologo.

Li classificava. Ne faceva cataloghi su cui sghignazzava ogni sera, quando ci vedevamo, e ne elencava motti, modi, tic e debolezze. E, soprattutto, quella devastante ignoranza che faceva di tutti loro degli scimmioni.

"Sono bestie," ci diceva Turi.

E lo raccontava con la perizia di chi mette distacco verso quella gentaglia così bisognosa, non di comprensione, ma di parole:

"È più facile sparare che parlare."

Turi non si fece vedere più.

Solo dopo qualche tempo cominciò a sbucare, all'improvviso, come per stare un po' con tutti noi quando capitava di ritrovarci insieme in un locale, in una pizzeria o a casa di qualcuno; e poi involarsi. Stava un poco di qua per poi perdersi, a lungo, di là.

Turi, tutto un sorriso, fece a fidarsi totalmente di noi.

E non c'era neppure l'imbarazzo di dover nascondere le sue improvvisate a Marco, perché lo stesso Marco, incontrandoci, già sapeva tutto:

"Avete visto Turi, vero?"

Fu Marco a spiegarci chi fosse Turi, cosa fosse diventato.

Era quello intelligente in mezzo alle capre dei quartieri.

Era quello che li teneva al laccio, peggio dei cani d'assalto.

Era lo zio compagnone che, dopo ogni affare andato in porto – dopo ogni incasso, ogni colpo andato a segno, ogni appalto – prendeva i ragazzi del quartiere, quelli delle sue squadre, e se li portava a Roma a sparare i soldi nei negozi di via Condotti.

Solo lui s'intendeva dei migliori alberghi per prenotarne le suite – per settimane intere – dove far acquietare i bollenti spiriti dei killer in compagnia di una carrettata di giovani donne pronte a tutto. Dopo di che, se li riportava indietro, a Catania, azzimati come damerini con i completi Versace e gli occhi pesti dalle troppe nottate.

Comandava le squadre, Turi.

Erano quelle che scorrazzavano per la città a raccogliere il pizzo, a sparare e pure a uccidere. Erano bestie e lui stava con quelle belve che, a poco a poco, cominciarono a fiutare in lui la sua diversa natura, la perversione perfino, tutta da moschettiere, di un'educazione fatta di rugby, dolcezza, libri, amore, politica e figli – due, arrivati nel frattempo – e che perciò non poteva sprecare tutto un carico di vita nell'attesa di andare ad ammazzare, poi tornare, quindi scannare ancora, poi fermarsi, aspettare di consumare un caricatore addosso a un padre di famiglia colpevole di spaccarsi la schiena in un cantiere per non piegarsi alla prepotenza, mentre tutto quell'orrore non è un film ma una vita buttata, la vita che Turi aveva già buttato.

Tutte queste cose Turi le raccontò a noi e poi di nuovo, mettendo ordine sui fatti, a Tino.

Si chiusero in una casa e fecero un libro accuratamente sincero senza mai mettere – col proprio sangue – una sola parola di pentimento, piuttosto di consapevolezza.

Turi era un raccontatore. Aveva il gusto del dettaglio.

A quel tempo Giovanni Brusca non era famoso. E neppure Totò Riina era ancora un nome. Erano nomi di una Sicilia remota rispetto a noi, e Turi, lo ricordo bene, di Brusca ci disse:

"Un animale, è proprio un animale. Manco si lava. Ha le croste dietro le orecchie."

E del Capo dei Capi, di Riina, disse:

"Quando entra in una stanza lui, si fermano pure gli orologi."

Turi, con i suoi racconti, ci mise a parte di quel mondo e certificò davanti a tutti noi, la sua comitiva, quanto fosse diventato mafioso. E perso.

Sparì per sempre.

Il mafioso, quando muore, muore sempre sbirro – per dire che in un modo o nell'altro si pente, tradisce. Turi, invece, si preparava a morire facendo i conti con se stesso e bevendo tutto il suo destino.

Marco, più di tutti – Marco che come sbirro non si preparava certo a morire per diventare mafioso – cercò di prenderlo per non farlo precipitare nel pozzo di quella sua caduta. E se capitava – perché capitò – di incrociarlo per strada, Turi faceva mostra di non conoscerci, non salutava; e se qualcuno gli si avvicinava, lui – freddo – tirava avanti: per non comprometterci. Per non infilarci in quel mondo orrendo.

Bruciò le foto del suo matrimonio: per non comprometterci.

E solo ora ho capito perché Turi ci raccontò tutto di quei suoi giorni: per non comprometterci.

L'unico titolato a incontrarlo e portarselo via era Marco.

In quegli anni ottanta, un'età di penne alla zarina (disgustosa pasta condita con panna e surrogato di caviale) non c'erano ancora i telefonini, capitava di guidare Alfa Romeo dal gusto ordinario, e quando Turi si nascose a lungo per non essere trovato da chi voleva fargli la pelle – nascondendosi anche da Marco che lo inseguiva per salvarlo – decise di uscire per fare ancora una scommessa con se stesso e vedere come cadere ancora di più.

Quell'inverno non faceva che piovere. Sul cratere c'era la neve, ma a Viagrande tutto il manto diventava poltiglia e l'acqua cadeva, cadeva e cadeva. Come a cadere ancora di più.

Turi uscì dall'appartamento di Catania e salì sulla Ritmo in compagnia dei ragazzi a lui più devoti. Non erano suoi amici: quelli eravamo noi, e Marco più di tutti, quello che lo voleva trarre a sé per salvarlo, dunque amicissimo.

Turi salì in macchina e con quelli non fece che ridere programmando con loro un'altra puntatina a Roma. C'era da approntare il Natale e prepararsi alla festa con una settimana di riposo e divertimento.

Turi era vizioso di giornale; e, quando giunsero all'altezza dell'edicola, chiese ai ragazzi di fermarsi giusto il tempo per comprare una copia e poi andare. Pioveva forte, e Turi coprì il quotidiano col suo giubbotto per poi consegnarlo ai due seduti dietro, non potendo tenerlo con sé, tutto zuppo sul davanti e sulle gambe.

Il destino è destino, e la notizia di Turi fatto morto la trovai proprio su quella copia, stampata col sangue anziché con l'inchiostro.

C'è da qualche parte dell'universo mondo un'acqua che non può in alcun modo essere raccolta da vaso alcuno. Così insegna Platone.

È acqua che tutti siamo obbligati a bere secondo misura ma solo chi non è frenato dalla prudenza e dall'intelligenza, tracannandone oltremodo, via via che ne prende sorsi si scorda di tutto e dorme perfino, come ad attendere il sorteggio di un destino e trovare in quel torpore una nuova esistenza.

Fosse pure quella di un usignolo o vestire – Allah non voglia! – gli strepiti di una scimmia.

Ed è così che l'ombra di Aiace, avendo Ulisse fatte proprie le armi di Achille in tutto quel dormire, resta sempre in corruccio. Così un cigno sceglie di diventare un essere umano e Orfeo precipita ancora tra le fauci delle Baccanti.

E così Ippomene, per distrarre la ghiottona Atalanta, pur celebrata nella velocità di gara, dissemina di mele la pista e ne frena il galoppo.

Senza un araldo divino che faccia avviso – senza il Profeta, il Lodato – tutti bevono troppa di quella acqua e qualcuno, inesperto di sofferenze, incappa in mescolanze di ogni genere.

E siccome dopo i tecnici è dato il tempo ai saggi, che sono i sapienti della Repubblica, è dovere dei veglianti attendere il tuono della mezzanotte quando il terremoto fa rinascere i dormienti che, chi di qua, chi di là, si levano in su ma per cadere come stelle filanti.

E al contrario dei dormienti, dunque, al pari di Er, al modo di Gengis Khan, bisogna attraversare quell'acqua e poi tenersi lungo la via che porta in alto.

Per chi torna e chi non torna, dunque, c'è il viaggio. Ed è per questo che negli eserciti si discute dell'opportunità di chiamare "presente!" a ogni commemorazione per i caduti. Al funerale di guerra, o in una qualunque cerimonia del ricordo, i militari in adunata convocano l'appello, e alla chiamata del morto – con nome, cognome e grado – gridano a una sola voce "presente!" Tutto ciò non fa che procurare lustro terreno al morto, e perciò un provvisorio lume proclamandolo eroe, ma al prezzo di un rinvio del suo Walhalla, senza per questo dargli la possibilità di tornare effettivamente indietro.

Resta in spirito, dicono quelli che praticano l'appello. Ne interrompono il guadagnato cammino verso il grande Uno, replicano quelli che, pur essendo anche loro soldati, ritengono più sacro far riposare il combattente e lasciare che lo spirito dell'arma si saldi alle insegne, alla bandiera e alla patria.

Antonio Pennacchi si dispera per tutte le volte che i ragazzi fanno l'appello in memoria di Aldo Bormida, il primo caduto della Repubblica Sociale, colpito dagli americani sul fronte di Nettuno. Quelli lo celebrano, portano ogni anno tricolori e fiori al cippo, e Pennacchi si dispera per proteggere il povero morto: "È uno spirito che cerca la pace. Lasciatelo andare verso il suo cammino! Ogni volta che chiamate l'appello, Bormida è costretto a tornare."

Certo, poi fu che morì Ajmone Finestra, il sindaco di Latina, l'ultimo podestà di Littoria. Lui stesso, prima di andarsene, aveva dato disposizione ai famigliari che fosse Pennacchi a dettare l'epicedio. E Antonio, dunque, carico di commozione verso quell'uomo con cui aveva lottato e litigato tutta una vita, salì sulla predella d'altare della chiesa di San Marco e gridò tutto il suo pazzo dolore d'amore per la Palude, e dunque anche per Ajmone. Finì la cerimonia e Pennacchi, uscendo dalla chiesa prima ancora dell'uscita del feretro, si accorse che si stavano organizzando per chiamare il "presente!" Prese da parte un amico, un clinico, primario dell'ospedale, e gli disse:

"Basta con queste cose, evitiamo scene."

"Non posso," gli rispose il medico, "non glielo posso negare ad Ajmone il 'presente!'"

Uscì la bara e ben tre schiere si formarono lungo il percorso che accompagnava il defunto.

Un grido:

"Comandante Finestra!"

La risposta:

"Presente!"

Ancora un grido:

"Comandante Finestra!"

Di nuovo la risposta:

"Presente!"

A ogni chiamata all'appello corrispondeva il saluto romano. Capitò dunque la prima volta, con Pennacchi che mormorava al medico "Lascia stare, non lo fate..." Capitò la seconda volta, con Pennacchi che faceva no e no con la testa, dicendo a tutti, schierati in tre file “Lasciate stare, non lo fate....” Ma al terzo appello – “Comandante Finestra!” – fu lo stesso Pennacchi non poté trattenersi e, ritto sugli attenti, scattò nel saluto romano gridando:

“Presente!”

Tra la vita e la morte c’è quindi l’andare, il dover andare. È il cammino oltre il quale, prima della destinazione, c’è il pedaggio. È qualcosa che riguarda il piede. O meglio le scarpe, nel mio ricordo.

Il balcone era ad altezza di bambino; e siccome in estate la morte reclama frescura e stanze arieggiate, ricordo le persiane accostate: una fessura da cui vedevo ben disegnati, tra due candele lunghe accese nella penombra, i piedi messi dritti, “a paletta”. Fu il primo morto della mia infanzia. Camminavo lungo la salita ripida del paese e, dal marciapiedi, scorsi la presenza del catafalco. Dalle scarpe, dalla suola graffiata da pochi passi, indovinai il morto. Era un altro dei grandi vecchi della mia favola di guerra: Spagna, Africa, quindi prigionia a Padula. Per lui era pronto il labaro dei Combattenti e reduci e poi ancora, urlato dai superstiti, il “presente!”

E ricordo la morte di zio Peppino. Sua figlia, Concettina, gli mise in tasca una banconota di mille lire. Retaggio, l’obolo, di sana sensibilità pagana: serve a saldare il debito con Caronte. Qualcuno, il solito moderno, s’infastidì del gesto: “Che se ne fa dei soldi?” E Santina Lo Gioco, spiritosa sempre, rese chiaro il tutto ai parvenu della laicità obbligata convenuti al *consolo*. Parlò con estrema serietà: “Nessuna meraviglia. Quando arriva, con i soldi che gli restano dopo aver pagato il traghettatore, zio Peppino si compra il gelato.”

Nel quando si arriva c’è il senso tra la vita e la morte, il cominciare a esistere oltre la vita; la morte è il pedaggio, e anche l’eventualità di comprarsi un gelato.

Il vivo accompagna il morto e lo commemora con i ricordi.

Lavorano le vanghe e si spostano i marmi. Le donne, in disparte, reggono i fiori. Gli amici, col proprio pugno di terra, sigillano di dolcezza lo sforzo di alzare la bara e collocarla, e fanno tutta un'allegria di lacrime nel celebrare il morto con il ricordo che ciascuno ne serba. Nel mentre, il sacerdote asperge la cassa con le ultime gocce di un'acqua che non è mai tanto benedetta quanto quella versata dagli occhi e dalla memoria.

Tutto ritorna, sul ciglio della fossa.

Ricordo quando mi ritrovai ad accompagnare alla tomba Pippo Ascoli; ricordo il profumo di serena santità e ricordo i suoi amici d'infanzia – tutti convenuti, ancora frastornati dall'accettazione di saperlo in cammino – e ricordo la loro gara nel descrivere l'amorevole vita dell'amico attraverso episodi propri di una rapsodia.

Fu Mimmo, il falegname, a portare la più bella cronaca in quel cimento. Raccontò un fatto di suo padre Antonio, mastro falegname, e di don Angelo, il padre di Pippo. Don Angelo era andato nella bottega di Antonio per farsi fabbricare un tavolino: aveva appena iscritto il figlio in medicina e voleva procurargli subito uno scrittoio.

"Mio figlio studia per diventare dottore!" (E Mimmo, con la lacrima grande come una noce e i singhiozzi versati nel fazzoletto, imitava la voce di quel padre e la sua felicità per quell'acquisto).

Don Angelo, con i soldi pronti in mano, sceglie il legname e la lucidatura, e fa la prima richiesta:

"Ci vuole il cassetto per metterci i libri."

Il mastro falegname, rifiutando per il momento quelle banconote larghe come quaderni, annuisce:

"E ci mettiamo il cassetto per i libri."

Don Angelo posa il denaro tra i trucioli, sul pianale, a rischio di impastare tutto nella colla, e avanza la seconda richiesta:

"Ce ne vuole un altro per le carte, per non far pigliare di polvere i fogli."

Il mastro falegname, rimettendogli in tasca tutto quel gruzzolo ("... a lavoro fatto me lo deve dare, il soldo"), fa sì con la testa e rassicura il cliente:

"E di cassetto ce ne mettiamo un altro accanto. E così saranno uno a mancina e uno a dritta."

Don Angelo, mani in tasca, sta per rimettere il *conquibus* nuovamente sul pianale – tra le pialle e la sega – quando, preso da un pensiero inaspettato, mormora:

"A mio figlio ci serve anche una *crozza*..."

A completare il regalo, infatti, serve il teschio, indispensabile compagno degli studenti di medicina, accessorio necessario forse più della coppia di tiretti.

"E i due vecchi," raccontò Mimmo a tutti noi che stavamo intorno alla fossa aperta, "si misero a pensare a dove trovare una *crozza*. Ed ebbero pronta la soluzione."

Il mastro falegname, come se non avesse altro lavoro, chiude bottega e porta don Angelo, in tutta fretta, al cantiere della vecchia scuola, in via Diodorea. Lì, al "carcere di Ercole", le antiche prigioni di Agira trasformate in depositi del municipio, durante gli scavi sono affiorate decine di ossa e teste di morto. Quando i due arrivano, trovano il prevosto, padre Portuese, seduto sui calcinacci e i lastricati ammonticchiati intorno alla statua dell'eroe greco, dimenticata dal tempo.

Vigile come una sentinella, il sacerdote è intento a benedire ogni scheggia di tutta quella carne tornata a essere polvere.

I muratori danno di piccone e lui si raccomanda: "Piano, toccate piano, ché sono anime del purgatorio." Ma quelli non se ne danno per intesi, e il prevosto, per ogni pezzo d'osso scaraventato con malagrazia dai manovali, alza gli occhi al cielo come per bestemmiare e traccia segni di croce che paiono sciabolate. Al gesto accompagna un "Requiem aeterna!" che, nella velocità con cui lo farfuglia, suona come "Recula materna", qualcosa tra la regola e il rifugiarsi nel ventre misericordioso di una madre.

La scena in sé, col prevosto non proprio dell'umore, intimorisce i due vecchi ma non abbastanza da impedirgli di chiedere un poco d'attenzione a quel guardiano scorbutico. E così, dopo essersi profusi nei *sabbenedica*, don Angelo e Antonio il mastro falegname spiegano il tutto a padre Portuese. Gli raccontano del tavolino e dei tiretti. E degli studi di medicina e di come occorra un teschio affinché il ragazzo diventi medico.

Intorno a loro, il cielo di Agira si specchia su tante di quelle ossa e tanti di quei teschi da farli sembrare ancora vivi. Il padre prevosto prende una *crozza*, la liscia con la manica, come si fa con l'anguria più bella dell'orto, e la consegna a don Angelo, dicendogli:

"Meglio che quest'anima del purgatorio si renda utile nel

fare di un ragazzo un dottore. Così il morto troverà subito la strada per il paradiso."

I due vecchi si prendono un poco di paura, non volendo profanare quel resto di vita. Ma il sacerdote, avendo inteso, sorride e li rassicura:

"Lo scrittoio del vivo varrà al morto quanto il rinnovo dell'estrema unzione. E della più degna delle sepolture."

"Recula materna," rispondono all'unisono i due vecchi, facendo tanto di cappello e segno di Croce. Pure i muratori, segnandosi, ripetono in coro.

E fu così che Pippo Ascoli diventò dottore.

L'angoscia abita una casa che essa stessa ha costruito tra le costole, nel nostro stesso costato. Le lacrime sono un rimedio ma quella dimora annidata nel cavo del petto, nel nostro stesso petto, ha tegole solide. E tutta quell'acqua gocciante dalle palpebre diventa fuoco che ci sta addosso nella carne; e l'anima, allora, preda dell'angoscia, si perde in una perpetua insonnia. E la vita, la nostra vita, è solo una stella che tramonta dove però non scende mai il tramonto ma righe di sabbia che fanno un intarsio, un tappeto dove prosternarsi e rivolgere l'abbandono ad Allah, l'Altissimo per vivere la Misericordia. E la vita, allora, la nostra vita, diventa come un catino che versa l'acqua che nutre e gemma consolazione oltre la tomba, fino al Dì del Giudizio. Questo disse ieri, venerdì, l'imam. Questo disse e l'ho trascritto per Nello che piange la morte di suo figlio Giuseppe.

Quando Donna Morte alzò la falce a caso, all'orbigna, acchiappò Filippo Iacona.

Fu in una notte di Natale, e in paese non si poté fare festa. Lui era uno dei pezzi rari d'amore, era parte del presepe vivente messo in opera al Castello di Agira ed era un padre di famiglia, e nessuno poteva immaginare di vederlo andare via così, nel mezzo della Vigilia.

Se ne morì Filippo e tutta la gente, in corteo, sentì come il brivido di un pericolo; e quella volta, infatti, le luci intermittenti furono spente e la parola "auguri" venne smozzicata quasi con vergogna, perché tutti ebbero angoscia e tutti ebbero occhi solo per quei figli fatti orfani e quella sposa subito diventata vedova.

Filippo Iacona era stato Sancho Panza di padre Beniamino Giudice, il priore dell'abbazia, laddove il sacerdote era un don Chisciotte ma con la follia di gioia e letizia degli uomini baciati da Dio. In quel paese, che solo per impressione dava a tutti l'idea di vivere in questo mondo, loro due erano un anti-mondo di sorriso.

Era l'edicolante del paese, Filippo, ma quando cominciò il suo sodalizio col priore era un ragazzo della parrocchia dal formidabile calcio in porta. Padre Beniamino, già anziano quando Filippo poté aprire il suo negozio – dove c'era anche il servizio di biglietteria degli autobus – trasferì lì il suo sportello pubblico di parroco ormai in pensione, in cui ricevere così tutti i *sabbenedica*, ossia le riverenze di quella buona gente che (il fatto è noto) ha sempre fiuto per gli uomini speciali. E in tanta normalità di paese avevano, i due, la particolare natura di saper ascoltare tutti gli altri pastori del presepe. E di parlare a loro.

Beniamino era rotondetto e scuro. Ed era intelligentissimo. Anche Filippo aveva un incarnato meridionale e poi era riccetto, sempre forte di sorriso, tifoso di non ricordo più quale squadra e addestrato, più che nella compilazione di memoria delle formazioni di calcio, a mettere ordine ai ricordi di Beniamino, che era stato missionario in Africa e perciò era reduce di infinite battaglie, tutte di carità e di grande festa in cielo per ogni bimbo restituito alla vita, perché il priore, in Africa, questo faceva. E poi ne faceva racconti in paese, affinché ogni avventore dell'edicola, ogni pendolare, facesse tesoro di tutto quel dolore trasfigurato in amore.

Beniamino parlava e Filippo lo aiutava perché, passando gli anni, Beniamino non ricordava bene e Filippo metteva insieme i pezzi; e di volta in volta, di giorno in giorno, di ricorrenza in ricorrenza, i clienti se ne uscivano dal negozio sempre più ricchi di storie, perché ci si sente meno poveri a tenere in petto il cuore del mondo più lontano.

Beniamino non parlò più, e lo fece per lui Filippo. E quando Beniamino si spense, Filippo, che lo pianse sul letto del riposo eterno, dopo il funerale tornò in negozio, issò una foto del padre priore sul muro dell'edicola e proseguì lui – nei giorni a venire – la catena dei fatti, degli episodi, dei viaggi, dell'avventura e dell'amore, una serie infinita di vicende, tra le quali quella dell'ingegnere delle sabbie, un ragazzo congolese su cui

Beniamino aveva esercitato tutta la sua persuasione per "spegnergli la vocazione" e fargli studiare, invece che la dottrina, l'ingegneria civile.

Beniamino non c'era più e toccava dunque a Filippo fare il racconto del giovane di cui nessuno in paese sapeva il nome, ma solo il nomignolo: Pupo Nero.

Fu, dunque, che Beniamino dal Congo il Pupo Nero se lo portò a Torino. Lo infilò in casa di una famiglia di emigranti e qui lo affidò ai ragazzi, unici studenti in una tribù di operai, affinché con loro – lui che era di campagna – conoscesse la città. Dopo aver letteralmente contraffatto i documenti, Beniamino iscrisse Pupo Nero al Politecnico avendo cura che la domenica, invece che andare a messa, perfezionasse l'italiano conoscendo già il francese "che molto serve", ripeteva Beniamino, senza però dimenticare la propria lingua.

"Ma io non voglio scordare Dio," diceva tuttavia disperato il congolese, che sentiva la chiamata e sognava di vestire l'abito talare in luogo della cravatta.

"Con Dio ci parlo io," lo rabboniva il priore che, intanto, si faceva spedire ad Agira i quaderni di appunti per controllarne i progressi anche facendo fare le correzioni a Filippo, che di matematica, ma anche di francese, ne sapeva. Ne sapeva assai. E l'unica volta in cui Filippo dovette uscire dall'edicola fu quando Pupo Nero, telefonando, chiese con urgenza di parlare con il priore. Aveva necessità di confessarsi: e solo con lui, non con altri, voleva liberarsi dei propri peccati, e con lui, e non con altri, lavarsi la coscienza. Siccome i suoi ospiti, a Torino, parlavano solo il siciliano, Pupo Nero, dall'altro lato della cornetta telefonica, domandò il permesso di farlo in francese e non venire meno alla segretezza. Il priore si fece persuaso, spedì Filippo in canonica a prendere dalla sagrestia i paramenti e – facendosi il segno della Croce –

cominciò a raccogliere la confessione dopo aver messo fuori dalla porta Filippo che, appunto, di francese ne sapeva.

E fu tutto un pianto quello di Pupo Nero. Un poco anche il priore versò lacrime ma poi urlò, si arrabbiò e col suo vocione, come una specie di tuono, fece vibrare le vetrine del negozio, con i giornali affastellati sull'espositore che, in tutto quell'urlare, tremavano come quando in Congo – un'altra delle sue storie – il padre priore rubava il mestiere agli stregoni catturando a forza di grida i ciuffi di nuvole più remoti per incollarle tra loro e farne pioggia.

L'unica frase chiara che dal fondo dell'edicola arrivò fuori, fu:

"Con Dio ci parlo io."

Di sicuro Pupo Nero non voleva saperne di dire no alla chiamata. Voleva diventare prete, sognava il seminario, ma quel sacerdote burbero lo assolveva dal peccato di diventare ingegnere con la prepotenza propria di chi vede lungo.

Tutto questo lo intuì Filippo, e con lui una folla di clienti, tutti in attesa che il priore ruggisse il suo "ego te absolvo" per poter mettere finalmente piede dentro il negozio. Beniamino, infatti, quella mattina, dopo la confessione non parlò. Squillò ancora il telefono il giorno dopo e Filippo uscì nuovamente per la delicatezza della situazione: il vescovo di Torino in linea.

Il priore si fece un'altra urlata e poi basta più, perché fece cenno a Filippo di rientrare, concluse la conversazione con tanto di "ciao, eccellenza, ciao" per poi finire così:

"Con Dio ci parliamo noi."

Pupo Nero diventò ingegnere, fu preso alla Total e poi lavorò anche per la Renault. Si sposò e arrivarono al priore le foto di lui, con tanto di cravatta, e due bambini in braccio. Due gemelli. Pupo Nero tornò al suo villaggio e fece quel che fece: fece tutto nuovo.

"Certo," diceva il priore, "un bicchiere d'acqua nel deserto," ma a Beniamino piaceva tanto il racconto di pazienza e fede del santo cocciuto che con il guscio di una sola noce cercava di svuotare il mare per arrivare in Africa a piedi, non sapendo nuotare; e quel villaggio fatto tutto nuovo fu per il priore, al costo di una mancata risposta alla vocazione, il più squillante dei *Te Deum*.

E poi fu che Donna Morte, alzò la falce, all'orbigna, e si portò Filippo. E la storia di Pupo Nero e tutte le altre storie di Chisciotte e Sancho Panza, accecati d'amore e di carità, ebbe a sigillarsi nel misterioso arzigogolo di Dio quando dal villaggio di Pupo Nero, in una primavera di Agira, ormai priva di Beniamino e di Filippo, giusto alle porte della chiesa abbazia fece capolino un altro ragazzo congolese. E però già bell'e fatto prete.

La scienza di chi è interrogato su quel che sa e risponde che non sa, in modo tale che colui che interroga sa, per ciò stesso, che colui al quale si è rivolto possiede effettivamente la scienza di ciò che gli ha chiesto; per contro, se egli avesse risposto mediante la sua scienza (la situazione reale) si sarebbe con ciò saputo che in realtà ignorava questa scienza. Questo è l'argomento dello sheykh, scelto a riprova di una domanda posta in merito allo Spirito che è il centro nascosto dell'Essere e che si trova in un luogo di grado elevato, la dimora sublime su cui il vero Profeta tace perché solo Allah può sapere intorno ad Allah. La luce del sole e degli astri che si levano e tramontano lascia il posto alle tenebre del dubbio, questo ha anche detto lo sheykh, dopo di che ha convocato per iftir, spezzando il digiuno, i confratelli della moschea invisibile di Segesta e recitato il versetto del "giorno la cui misura è di mille anni".

Fatto fu che c'era un posto e in quel posto – che era una forgia – c'era un vecchio. E il vecchio si teneva al fianco una conca satolla di brace e un po' di zucchero aggiunto alla carbonella. Per fare vampa.

E fatto fu che si faceva pomeriggio in quell'inverno, l'odore di buono si prendeva il rinchiuso di un giorno intero e tutta la carbonaia diventava morbida come un tavolato di noce quando il lievito viene messo a dimora.

Fatto fu che c'era l'ora di una luce già allo squaglio, quando si sbrigano gli imbrogli della giornata e si mette un punto all'officina; ed era il momento in cui i ragazzetti – un'ora prima del tramonto, per non farli tornare nelle loro case con lo scuro della sera – passavano dal vecchio per avere ognuno un comando. Lui, contento sul sedile, a uno dava la tanica di petrolio per la lampa, a un altro una manata di chiodi e la carta vetrata, e a tutti poi (almeno altri quattro erano i signorini, apprendisti nel doposcuola della bottega del barbiere) regalava la contentezza di farli uomini: mastri d'ascia, mastri ferrai e mastri muratori.

Fatto fu che quel posto faceva da festa quotidiana, e nella fucina – con il ferro, l'incudine e il martello – il caldo arrostiva di allegria tutti tanto da farne scorta (a differenza dall'oggi, bisogna dirlo, con tutta la cenerognola malinconia rimasta attaccata alla pelle).

La forgia torna con i modi propri del ricordo, e, con la memoria, se la parola vola senza scrittura, rincasano i tre conforti: la conca, la fornace e la porta lasciata aperta con tutto il cielo che va spegnendosi intorno al paese.

Fatto fu che il vecchio, forte di polso e voce, aveva un detto. Nella sua cronaca raccontava di una mano fatta solo di ossa e senza pelle. Erano cinque dita che lo salutavano ogni sera, cinque stecchi tenuti insieme da una stessa disgrazia, ma molto cerimoniosi nel fargli buonasera dalla casa di fronte. Così lui ci faceva il detto. Ed era storia d'ogni sera. Una volta che fece tardi, sentì pure una voce: "Dico a te: va' a coricarti, ché già si fece notte!" Ed era una ben strana compagnia per lui: non sapeva dire se fosse maligna, ma strana assai sì. Però la mano parlò una sola volta.

C'era la strada mastra che separava la fucina da quello che era inteso come il palazzo dei pazzi. Ci abitavano due sorelle, tutte e due toccate in testa, povere figlie; tutte e due con la faccia smunta e la pelle sugnosa. Ogni faccia si porta dentro una testa di morto e loro due – povere figlie – portavano stampato in volto lo spavento. Non si facevano aiutare da nessuno, e per la Quaresima il parroco doveva aspergere l'acqua benedetta solo sul muro, ché manco a lui aprivano la porta.

E le due sorelle avevano pure un orto, dove, con le frasche, crescevano pomi granati e ciliegie, e poi ancora un albero minuto di mele piccole e bianche. Frutti che le due padrone lasciavano rinsecchire attaccati ai rami, quando non li rubava qualcuno mosso a commozione dal veder sprecare tanta preziosità, oppure sbocconcellati dai cardellini, dalle formiche o dai vermi. "Sempre meglio che farli andare persi," veniva a dire il vecchio, che quindici anni prima aveva fatto l'ornamento alla cisterna scavata dentro l'orto, e che dunque quegli alberi li aveva visti al tempo in cui padre e madre delle due sorelle erano vivi: pazzi anche loro ma pur sempre vegeti, e possidenti di tante belle terre al sole, adesso spacciate dai notai e dalle carte bollate.

Il caseggiato, piantato a sovrastare l'officina con la sua ombra di mezzogiorno, aveva tre piani, il sottotetto con le colombe e, col fondaco, altri magazzini. Erano, già al tempo, tutti vuoti. E tutta vacante, con le scale crollate, era la casona. Ad eccezione di una sola stanza: quella all'angolo del primo piano. Le due sorelle, infatti – povere figlie – senza più padre e madre, senza parenti, si erano ritirate in quei pochi metri. C'è da dire che la casa, giorno dopo giorno, si sfarinava tutta. Anche a volersi incapricciare di dare spavento a questo e quello – scuotendo quattro ossa secche da un vetro – le due sorelle non potevano neppure salire ai piani superiori o nel sottotetto, tanto erano prive di passo e di respiro. Ed era una mano di morte che faceva la buonasera, uno spirito assai educato a sentire don Antonino Vento – questo il nome del vecchio – che non si prendeva di spavento, tanta era ormai l'abitudine; e ogni volta, a tutti i suoi discepoli venuti a far prova di essere grandi, chiedeva: "La volete vedere la mano della morte?"

Fatto fu che ci prendeva il ghiaccio dentro la canna della schiena alla sola idea di vedere spuntare la mano. Quando già il cielo si caricava ancor più di scuro e tutti si riconciliavano con la strada di casa, uscivamo dalla fucina avendo cura di girare lo sguardo dall'altra parte della strada e non vedere così il palazzo dei pazzi. Avevamo tutti il timore che quella mano fatta solo di ossa e senza pelle se ne venisse a svolazzare intorno, a seguirci, e a mettersi sulla spalla, come fa un amico; e il vecchio – affaccendato tra le sue cose – se la rideva per questo. Se ne restava ancora a smuovere il fuoco della fornace, asciugava quello della conca e solo dopo, appena chiusi i ferri – volgendo l'occhio attento alla finestra con quel suo vetro sbrecciato – si tirava la porta per andare con Dio, per fatti suoi.

Fatto fu che passò l'inverno, venne la stagione e poi tornò ancora il mese del freddo e delle giornate corte. La malizia aveva fatto casa nel nostro verde legno, e l'ingenuità si dileguava passo dopo passo lasciandoci la smania di scoprire quanto fosse solo una carnevalata quella faccenda della mano. E così, una sera di un altro inverno, ci nascondemmo dietro al muretto che portava dritto al muso dell'officina. Aspettammo che calasse il giorno, e quando lui, il vecchio, fatto più vecchio di un altro anno, finì di chiudere uno dopo l'altro tutti i catenacci e di serrarvi i pali sulla porta, quando lo vedemmo guardare verso la finestra e poi scendersene per la stradina, facemmo una chiassosa sorpresa da dietro al muro, per vederla finalmente anche noi quella mano fatta di sole ossa e senza pelle.

Fatto fu che ci venne il coraggio, e con gli occhi sbarrati guardammo il vetro rosicchiato e reso opaco dal lordume, per cercare infine quelle cinque dita di morto: ma non si vedeva che un passaggio di vento. Il vecchio si ritrovò tutti noi davanti. E noi gli intonammo la gherminella: "Dov'è la mano fatta di sole ossa che non si vede, dov'è?"

Fatto fu che don Antonino fece la faccia scura, ma come preso d'angustia, e non certo perché l'avessimo scoperto nella sua burla. E disse: "Oggi non mi salutò, mi fece la mossa come a dire vieni, vieni qui. E forse mi parlò, anzi, mi soffiò qui, in gola," così sentenziò il vecchio indicando col dito nero di fuliggine l'orlo del colletto. Poi prese la strada di casa sua, regalando ancora un sorriso nel suo grande mare di pensieri.

Troppa fu la pasquinata: don Antonino camminava e sentiva i nostri lazzi, da rinnovare l'indomani con la promessa di una solenne presa in giro.

Ma fatto fu che la notte stessa don Antonino se ne morì. Preso dall'ombra, chiamato dalla mano.

"Il freddo arrivava quasi a tagliare in due l'orizzonte."

Così mi parlò il Capitano quando, dopo solo due frasi di circostanza, arrivai a quella giusta, di formula e di cerimonia, per accreditarmi presso il castello della sua riservatezza. Gli dissi di un amico, e lui riconobbe la strada e la matrice:

"È un vero amico," rispose.

Aveva combattuto in Belgio, il Capitano. Soldato della Legione Vallone, Carmelo Notaro, questo il suo nome, si era arruolato volontario nell'incendio d'Europa, aveva conosciuto la prigionia, la condanna a morte, la fuga e poi – nel depositarsi di macerie e di strazi – era tornato in Sicilia, a Leonforte, la terra d'origine della madre, per inventarsi un'arte stravagante: parrucchiere per signore.

Però era rimasto Capitano. E ai capitani bisogna credere, sempre.

Mi parlò. Mi disse degli anni in cui, bimbo, si era trovato a Berlino. Il padre e la madre lavoravano nei giardini della cancelleria, richiesti direttamente all'ambasciata italiana dove già lavoravano. E mi svelò una storia d'amore tutta incompiuta, quella di Leni Riefensthal che decide di dire sì al cancelliere ma lo fa proprio la notte della Vigilia, quando ogni anno lui, quella notte, veglia sulla città girando per ogni strada, ogni vicolo, ogni tratturo, a bordo della sua Mercedes, in compagnia del solo autista.

Il freddo arrivava quasi a tagliare in due l'orizzonte. La sera calava e tutto il fumo dei camini e delle stufe s'aggrovigliava nell'aria. Una matassa, appunto: come a fare un mantello nero nero per mettere scudo alla notte, che di colpo si fece notte notte.

Il vapore dei tubi caloriferi, quelli esterni – una panna acida il cui vanto è il bianco – sfarinò sotto gli schiaffi del vento. E il vento stesso – bianco ma abbagliante – diventò neve e poi polvere, un nulla pietroso sul quale i cani, accucciati nei cortili delle caserme, latravano un incantesimo di dolore e smarrimento, nella fragilità tutta canina di non capire perché, dopo il sole, arrivassero inesorabili le tenebre.

I tram spaccavano i quartieri, le vetture sputacchiavano il catarro, le luci sbiadivano facendosi morire sul riflesso vibrato di una borsetta di perline luccicanti e intarsiate tra loro. Era, la borsa, un accessorio dimenticato sul sedile da una ragazza di provincia e perciò poco esperta del mondo. Tutto, in quella sera, aveva una sua importanza e le stelle, inquiete, accettavano che ogni luce in cielo fosse la piccola capocchia di una preghiera.

Bambini, come se fossero tornati all'infanzia, gli uomini della città rotolavano nel silenzio, tirandosi con le dita la porticina della sacrestia, così come, in quel momento, lui stava rotolando il suo profondo silenzio facendo scivolare sulla cartella dei documenti il bollo tondo con cui aveva iniziato la sua fatica quotidiana: comandare. E firmare.

Il rintocco dei campanili sbatteva elegante sui rami intirizziti dei tigli. Qualche suicida si sfilava dalla vita con l'accorta sapienza dei saggi, simile agli antichi romani immersi nei bagni caldi.

La sera catturava l'ultimo passante sull'uscio di casa. La ronda, affrettata nella formalità della disposizione, ascoltava i cani; e, per un gusto tutto ragazzino di parlare alle bestie, i tre soldati – un marinaio, un aviere e un graduato della Wehrmacht – abbaiavano una risposta al loro quesito; ma senza riuscire a spiegare perché, dopo ogni sole, inesorabili, arrivino le tenebre.

La carne sbuffava nei pentoloni, supplicando il brodo di polpette di una degna mistura di condimento e profumo; lo zucchero avvolgeva rotoli di sfoglie, e la spuma montava con buona lena di polso, con il tuorlo compatto che si faceva biscotto.

"Il rintocco dei campanili arriva fino alle valli più lontane," così andava pensando lui. "Arriva dove le Alpi possano sentire, arriva dove il Danubio possa sentire, arriva dove il mare del Nord possa sentire. Arriva nell'angolo di un Cristo rannicchiato sotto una tettoia ad angolo acuto, a un crocicchio della Boemia."

Così andava rumorosamente pensando lui, e fantasticava sulla sua speciale notte con tutti i campanili ubbidienti a un certo suo patriottico rintocco mentale: tac, tac.

Si consumavano le candele, si usurava il panno di pelle con cui l'altro levigava di lindore il vetro, il parabrezza di una Mercedes dai fari inginocchiati ai pochi metri di una velocità consumata a passo d'uomo. Era una Mercedes abituata ad annusare le curve e i cespugli d'erba che, sul ciglio, si piegavano nel gesto involontario del saluto.

Un colpo di vento strattona la corda del campanile più vicino: è giusto un colpo di frusta; e lei arriva alla Tana quasi a spezzare l'attesa di una cerimonia estenuante.

Quando entra – sebbene annunciata, dunque attesa – lui le porge il più difficile tra i suoi sorrisi.

Lei invece gli apre uno sguardo di tanti "finalmente".

Compreso l'ultimo: quello di essere arrivata per lui, soltanto per lui. Per attraversare la notte del cielo separato nelle due metà: quella per gli uomini e quella per i pensieri degli uomini.

Lei – Leni – è il migliore tra i suoi soldati. Lui – Wolf – è la potenza di una volontà dal patriottico singulto mentale che fa: tac, tac.

Bella, alta come un albero della bianchezza, lei ha i capelli corti di una modella post-contemporanea rispetto a noi che siamo negli anni del Duemila; ma siccome il tempo ha le sue avanguardie, la mascolina sensualità di lei non è ancora la tendenza su cui registrare le didascalie del futuro: è solo un'ardita rappresentazione degli anni trenta del secolo scorso.

È il 1931, per la precisione. E lei è venerata per le sue movenze geometriche, ad esempio quando danza, così che le sue parole hanno un turbamento plastico. E lei, come in un complicato suggerimento plastico, annuncia a lui:

"Passerò la notte con te."

Il freddo stira la sua coperta di gelo sulla città, la neve si ferma nella volta delle stelle come a fare il gesto sbalordito della bocca aperta, la candela prosciuga il luccichio sulle lacrime della cera. Nel frattempo, l'altro ha già avviato il motore; e la Mercedes, sbucando dalla rimessa, raggiunge i tre gradini dell'ingresso aperto sui giardini, quasi nascosto dal muro di cinta dove ci sono due lupi che, mugghiando, chiedono al loro padrone il perché di ogni dopo sole. Perché, inesorabili, arrivano le tenebre? E lui dunque scende, restituendo ai suoi lupi una risposta vaga sulla vita, l'Essere e il Divenire, lasciandosi alle spalle la promessa di lei: "Passerò la notte con te."

Lui dice all'altro: "Andiamo."

La Mercedes, allora, scivola lungo il percorso di una città

dove ogni finestra – illuminata a festa – recita la gioia familiare della Vigilia.

Lui, spesso, dice all'altro: "Guarda."

L'altro guarda e ciò che resta nello sguardo è l'espressione di un compito singolare: accompagnare lui nella notte della Vigilia per le strade della città e contemplare da lontano i tedeschi che cenano.

L'altro non capisce questa sua abitudine, ma ogni santa Vigilia prepara la Mercedes per questa traversata dentro la notte.

E allora guardano da lontano la gente. Per tutta la notte. Fino all'alba.

Sgusciano dagli incroci, incontrano la ronda fino a quando i rintocchi della prima messa salutano il Natale e il sole acquieta i cani con la sua provvisoria apparizione di astro lavoratore qual è.

Il sole è infatti un importuno che rovista la neve su cui i badili hanno tracciato sentieri di attraversamento, quelli che portano alla carne sfatta dal brodo, ai biscotti in cui i tuorli hanno fuso zucchero e farina.

Lei è rimasta come ferma da una notte intera, aspettando il suo arrivo. Quando l'altro riporta la Mercedes nella rimessa, lui sale le scale, appesantito dal mantello sul quale la notte ha lasciato tutte le domande dei lupi.

Lei lo guarda come se la promessa si fosse consumata. Finita e andata per sempre nel pazzo dolore di un mai più. Come finisce e se ne va la candela, la cui fiamma galleggia sfinita nell'incavo del candelabro.

L'altro rientra nel suo alloggio di soldato-autista e bacia i suoi bambini. Lui torna nelle stanze del comando e prende tra le mani le sue mani.

Le stringe le dita.

Lei gli dice arrivederci, dimenticando di dirgli buon Natale.
Lo dice lui a lei dopo, affacciandosi dalla grande vetrata che si apre sul giardino, il giardino dove lei – alta come un albero di bianchezza – acchiappa il vento che corre, e i lupi mugghiano la loro ferina compiacenza, felici come sono di avere finalmente carpito il segreto della notte e del suo mantello nero nero.

Io ho due paesi, due case e due risvegli. Due sono le vite e due destini in un morire di carne che cerca la propria stagione nel farsi due di un unico mondo grande abbastanza per prendersi prima un giorno e dopo l'altro e costruire così una stessa esistenza affollata del pazzo amore che mette in custodia l'amore.

Due risvegli avevano quelli che scappavano dal paese per trovare un mestiere da guardaportone in città e guadagnarsi una reputazione da duri, uno dei quali, chiamato Malaguerra, tornava ogni volta che ci fosse da spartire bastonate, e se doveva scappare da un posto andava nell'altro, e viceversa, fino a quando non venne messo alle strette da una donna che, facendolo innamorare, se lo portò a Genova, a vendere gelati nelle colonie marine per bambini. Si ritrovò in una terza vita a tal punto estranea che, cogliendo l'occasione di un imbarco, dopo tredici giorni di viaggio, oltre lo stretto di Gibilterra, si ritrovò a fare il mercenario in Africa e avere così un risveglio solo. E una caserma. Trovò la morte in Senegal; e siccome al destino non si sfugge, anche da morto ebbe due case e due riposi eterni: una sepoltura ai bordi del fiume dov'era morto sparato, e una tomba dove poterlo piangere in paese. Anche il maestro Ciccio Mazzucchelli ha due sepolcri. Uno a El Alamein dove, da reduce, andava in pellegrinaggio per portare dei fiori. E una tomba – oggi – a Leonforte, dove è morto per davvero. Ma è quella lapide nel deserto la sua medaglia, perché delle due vite, gli eroi, fanno un unico destino, in cui perfino il morire di carne è vicenda secondaria, poco importante.

Due risvegli e due patrie fanno di due educazioni un uomo: "Circondatelo di amici!"

Mai trasferimento di ostaggio ebbe un ordine così perentorio. Lo disse lo zar in persona additando ai propri ufficiali un giovane ceceno cresciuto tra i cadetti dell'Aleksandrivskij di Carskoe Selo. È il dicembre del 1839 e il ragazzo deve tornare nel Caucaso. È il figlio di Shamil, il Santo. Questi, per i russi, fu quello che per gli americani è stato Osama bin Laden (se mai del fantasma se ne darà carne). E il figlio di Shamil, che è l'imam dei guerrieri nella via di Jihad dallo stupefacente eroismo, si ritrova circondato da amici per tornare dal padre dopo aver dato l'infanzia, l'adolescenza e la giovinezza alla città di Mosca, che adesso, circondandolo di amici, lo veste di amore, ammirazione e lampi. Sono i bagliori delle sciabole che, nel presentat'arm, salutano lo sbuffo del treno in accelerazione mentre tutti i suoi camerati di corso, inquadrati sulla banchina della stazione, gli cantano l'arrivederci "Confidando in Dio".

Quando i convogli giungeranno in Daghestan, troveranno ad attenderli dei prigionieri russi. Tra loro, velate, le principesse di Mosca. Circondato da amici, scende l'ostaggio e comincia lo scambio. Prima le donne. Shamil si profonde in un inchino e così dice al nemico: "Ve le restituiamo pure come gigli."

Due patrie, un solo uomo. Due di Asia, una sola Europa. Due le teste di un'unica aquila.

Premesso che Ungern Khan – il più affascinante tra i soldati in guerra "contro Trockij e contro Cristo" – non è morto ma reincarnato, dichiarato appunto Mahakala da Thubten Gyatso, tredicesimo Dalai Lama; premesso che la sua tomba è puro luogo indifferente alla geografia dove tra le dure crete di Novonikolaesvsk c'è solo la Croce di San Giorgio, la medaglia che inghiottì prima di essere fucilato dai bolscevichi; premesso che ancora oggi vi arrivano gli sciamani per gridare "Urrah, urrah, urrah"; premesso che il suo anello con il segno di Shiva – non la chevalière del lignaggio baltico, ma l'anello del Re del Mondo, sacrissimo ai popoli d'Asia e d'Europa – gli è stato prelevato il 15 settembre 1921 dal suo carceriere, il generale sovietico Bljucher, e poi, all'epoca delle Grandi Purghe, passato nelle mani del maresciallo Žukov, il vincitore di Stalingrado (fino a venti anni fa ancora in possesso della figlia di quest'ultimo); premesso tutto ciò, ogni altra fantasia è pura mistificazione intorno alla vita e al destino di chi inventò la più abietta delle torture: legava i polsi dei prigionieri con degli stracci sporchi di sterco di cavallo ancora umido. E il supplizio non era certo destinato all'olfatto ma a far fermentare quella cacca da cui si generavano i vermi che rosicchiavano la carne fino a far staccare, tra atroci tormenti, le mani.

Premesso tutto ciò, la menzogna non può offendere Roman Nicolaus Fëdorovič von Ungern-Sternberg, signore della guerra, sotto il cui vessillo marciò la divisione di dungani, sarti, mongoli, cinesi, giapponesi, karakalpaki, turkmeni, calmucchi, baschiri, kirghisi, tatari e, naturalmente, russi. Fecero orda, tutti quegli asiatici, riconoscendo in quel soldato l'erede di Gengis Khan "... per poi dedicarsi alla restaurazione della monarchia zarista".

Fu a Urga che Ungern liberò il Dalai Lama fatto prigioniero dai cinesi, ristabilendolo sul trono quale prefigurazione del Buddha venturo. Il barone ebbe come appellativi, nell'ordine,

"pazzo", "nero" e, appunto, "sanguinario" ma vestì sempre la tunica gialla di lama sotto il magnifico mantello di ufficiale imperiale.
Due uniformi e due le teste di un'unica aquila.

Chi ha due case e due risvegli ha l'amore che bussa e trova sempre chiuso; così è l'amore che va, viene, aspetta, torna e offre il respiro: chiama il sangue e non conosce tempo.

L'amore sparso al vento non è più restituito. Resta nella carne e fa vecchia la giornata. È desiderio, certo, ed è anche silenzio. E poi è spavento. Perfino i demoni ne sono contagiati, se nei pomeriggi di sole, con le loro code avvoltolate alle panchine, se ne stanno a struggersi di pazienza spiando i ragazzi innamorati delle ragazze cui inviano sms per strappar loro un sorriso.

Anche i carabinieri – che sono pur sempre ragazzi – lo fanno. Uno di loro, in pausa pranzo, spedì un cuore a un magistrato – una donna alta di respiro, solare – e lei sorrise, facendosi prendere definitivamente al laccio, preda della corda di semplicità d'un disegno ordinario e tutto curve. E infatti rispose con una freccia, come a dire presa, presa e "sono per sempre presa". San Filippo il Nero si girò dall'altra parte per non guardare quello che stava per accadere, e uno dei demoni, invece, affrettò la ricezione del messaggino di risposta accompagnandolo con un colpo di coda, lesto come una frusta.

L'amore che bussa e trova sempre chiuso è come il buio. E non ha mezzanotte per scivolare a nuova ora. Si lascia avvolgere in un mantello di bugie, non ha più parola e – da quel che gli è diventato in petto il cuore – goccia lacrime di sangue fatte aceto.

"Imparate, soldati, il volo dell'angelo. Così come insegna il vostro zar, l'imperatore."

Così diceva il comandante dei cadetti in un film russo visto al cineforum organizzato dal padre priore dell'abbazia. Era una pellicola in bianco e nero, sottotitolata, e quel proclama mi restò impresso perché la proiezione s'inceppò e mi si stampò in petto, più che come concetto. Più avanti, negli anni, incontrai a Catania Tino Vittorio, che mi spiegò l'assalto "a volo d'angelo" fatto col coltello, quello dei delinquenti, simile al tuffo che prende in petto agli innamorati.

È una traiettoria in discesa, quella dell'approssimarsi dell'angelo. Non va in picchiata ma, giusta curvatura, è come una danza che accompagna l'elegante gesto del battere all'uscio. Giusto uno scavo fatto col coltello. Per poi affondare. Dove c'è grumo. E sangue. E aceto.

È l'amore che ha vera luce.

E alla vera luce bisogna credere, sempre.

Ogni 15 aprile, anniversario della morte di Giano Accame, prendo tra le mani un suo libro: *Carlo Delcroix*. Gabriele d'Annunzio battezzò Delcroix "veggente che senza guida esplora in sé i suoi tre Regni".

Delcroix è anche "Uncle Carlo"; Ezra Pound nei *Cantos* lo evoca cinque volte, ed era caro ad Accame: era suo suocero.

Cieco di guerra, medaglia d'oro al valor militare, devoto dei santi senza candele, Delcroix fu il primo direttore del Maggio fiorentino, e non proprio perché "la musica sia da considerare il rifugio del cieco," ma per farne poesia dello spazio con Giorgio de Chirico.

Già cieco, incontrò l'amore: Cesara.

Lei venne a lui quando sembrava che la malinconia si fosse presa tutto.

"Sentii," scrisse Delcroix, "che il cielo mi passava accanto."

E lei fu sempre accanto: "In mezzo secolo di matrimonio,

non ha più mangiato un pasto caldo: a ogni portata che arrivava, prima imboccava il marito."

Con lei Delcroix non seppe più quanto fosse grave l'ombra o amaro il pianto.

Con lei poté per sempre dire:

"Scordar si può di aver veduto."

All'amore bisogna credere, sempre. Anche quando ci fa pazzi di dolore.

L'amore è una lettera di addio.

L'amore si cancella, si scrive e si strappa, tanto da farci un malloppo con tutta la carta sporcata e poi buttata.

L'amore è tutto un giocare sulle montagne russe: ebbrezza e poi giù, verso i dubbi, anzi, la certezza di essere più che dimenticato. È una giostra conclusa.

Ma dovrei piacerti come piaccio a chi non mi piace.

Ecco, e questa è una lettera d'addio:

E quello che voglio dirti, insomma, è un fatto d'amore.

Deve, infatti, essere l'amore se non ho mai cancellato dentro di me la tua presenza. Ti cerco, appunto, non faccio altro – fantasma quale tu sei, sempre presente nel mio sentimento – e non riesco mai ad averti vicina tanto da dirti finalmente il segreto.

Per tutte le volte che ti penso e spero che, ovunque tu sia, possa distrarti dal tuo lavoro, dalle tue cose, dalla tua stessa vita e – chiudendo gli occhi – mi conceda di farmi largo nella tua mente.

Faccio anche le stregonerie, ma il tuo cuore è inaccessibile.

Per quella volta che ho strappato una talea lungo la spiaggia per portarmi un pezzo di te, l'ho trapiantata e ci decifro il mistero di un'assenza.

Proprio un fatto d'amore, amore mio.

Non dimenticare i baci mai dati.
E non scordare neppure quell'unico. Quello dell'ultima volta.

All'innocenza bisogna credere, sempre.
Sempre beata è l'innocenza perché lei, beatissima, sa vestire tutto quel bussare di Eros di tenerezza e stupore.
La prima volta che vidi un amplesso non ci capii nulla, perché vidi uno che si dimenava sopra un'altra da dietro.
Erano vestiti, lei gridava, lui le diceva:
"Sta' zitta."
Lei era una bambina, lui pure.
Fu che io, a bocca aperta, ero in quinta elementare ed ero piccolo.
Loro, che si davano da fare, erano della classe quarta.
Non ci capii nulla anche perché quando domandai a un compagno:
"Che succede?"
Lui mi rispose:
"Lui gliela sta ficcando a lei."
La malizia non andò a male grazie all'abbondante carico d'innocenza, questa è la mia idea, anche perché ci rimuginai e quel concetto – il ficcare – mi impegnò a tal punto, come immagine e come dinamica, che il canone è troppo remoto.

Intanto il profumo. E al profumo bisogna credere, sempre.
Da respirare a occhi chiusi.
In quel sentirsi nella tenaglia delle gambe.
E poi quel mondo fatto di sussulti e silenzi.
L'approdo dei baci per il più ghiotto dei bocconi; il tepore del ventre e la cerca dell'urlo rivelatore che poi mette mano alla nuca del devoto per stanare ancora più piacere dal piacere.
È il desiderio di un desiderio.

Ed è il tempo sospeso.

È l'incanto di una sorgente che fa acqua per dare ancor più sete a chi ne beve e mai si sazia. È l'Origine del mondo; e tale è il pasto morbido e magico: forgia di miele e cosmo; ed è profumo.

Tutto l'universo obbedisce all'amore e c'è una traccia segnata nella natura che consegna gli uomini innamorati al precipizio di una vertigine per farli, in ogni stagione della vita, lupi di una feroce muta in gara con la loro stessa esistenza.

È tutto un correre incontro agli anni e ai giorni, quel baciare le donne nel profondo del loro intimo.

Capita agli uomini di sentirsi bucare le gengive in bocca e vedersi spuntare inaspettate zanne e volerle infine sbranare le femmine. E farle proprie, per sempre – carne dentro carne, sangue messo a dimora nel proprio cuore – così come decreta il patto eucaristico della vita nuova. È la parola più insulsa, vagina; l'umanità è attardata nel flatus vocis, ma una voce più adatta si troverà. E ciò che una donna fa vanto di sé è svelato nello sguardo proprio dell'atto, un'estasi che gli uomini innamorati provano a spiare mentre, smarriti nel banchetto, tentano di fermare guardandola ad occhi chiusi.

Di sottecchi. Com'è proprio dei ladri. Dopo di che, è il profumo.

Due paesi, due case e due risvegli. C'è il cielo dell'oceano indiano che fa a cambio di blu e nero cupo con il mare. Una lingua di terra – tutti scogli, scuri come fosse lava – si allunga da Mumbai verso l'orizzonte remoto d'Arabia. Tutta acqua che fa a cambio con il deserto. L'occhio è preda di vertigine mentre alle spalle i grattacieli – gli alberghi e gli uffici, e i centri commerciali – stanno in agguato come a far da guardaspalle alla periferia vezzosa delle case coloniali. Nell'orecchio, intanto, si versa il ruggito delle onde che lavorano ai fianchi la città della dea

Mumba, tornata dai suoi secoli di sfolgorante luce per prendere possesso di sé, giusto su quella lingua di terra.

È notte e due s'innamorano d'improvviso. S'incontrano per caso, e nella casualità di un incontro ufficiale di delegazioni lui si accorge di lei e però non si muove, lei nota lui che sta appartato, e nota le sue mani da cui, come artigli di drago, gemmano due dita oltre alle cinque, due pollici in più che non fanno una mostruosità ma una più misteriosa eleganza.

I suoi gesti, poi, quando si alza dalla tavola, sono come quelli di un'aquila che si solleva in volo. Avvampa i convitati con il suo ceruleo sguardo di Sikander indiano.

È lei che si avvicina a lui, un attore di Bollywood, e lei – una signora occidentale, reporter – asseconda tutta la brigata nell'idea di chiudere la notte in discoteca. Lei confida nella compagnia di lui, lui sale in macchina con lei, arrivano nel locale dove è tutto un flash per ritrarre lui, il divo, che tuttavia in quel frastuono non concede che il silenzio. C'è solo musica, bar e il dimenar di gambe. Lui teme la noia e decide di portare via lei in una lingua di terra – tutti scogli, affilati come lame – che si allunga dalla città degli avvoltoi cari ai parsi per fiutare l'asciutta aria del deserto, oltre l'orizzonte.

È notte, e tutt'e due s'innamorano camminando dentro il nero cupo che guadagna il blu del mare. È la spiaggia dove i credenti vanno a pregare quando il clima lo consente. È la notte adatta, e la chiamata alla prima preghiera raduna intorno a loro una moltitudine di uomini e di donne velate, che si prosternano in direzione di Mecca, oltre l'orizzonte del mare. Gli avvoltoi che sono sempre cari ai parsi planano in semicerchio per poi cercare una linea dritta che li conduca alle torri dove cibarsi dei morti. "Disegnano come delle chiavi di violino," dice lei a se stessa, raccogliendo nella propria carne i brividi della situazione senza neppure sapere a quale banchetto quegli uccelli si destinano. E volano come fossero le più liete libellule, lieti più di ogni altro alito di vita nell'universo.

Non è più notte, e lui le prende la mano. La stringe nei suoi rostri e la conduce su uno scoglio appartato dove possano continuare ad aspettare il sole senza recare disturbo alla preghiera.

Non si sono accorti di altri due innamorati. Sono sullo stesso scoglio. Hanno appena arrotolato il tappeto dove, in prosternazione, forse hanno fatto l'amore ma hanno anche appena fatto la preghiera.

La ragazza sorride pudica riconoscendo lui, il Sikander, il divo di Bollywood applaudito da tutti. E non si sa come la ragazza, in un gesto d'improvvisata cortesia, offre a lei, alla reporter occidentale, il proprio foulard affinché ne faccia velo. Le si avvicina e l'avvolge, raccogliendone i capelli in un gioco di grazia.

Chissà perché, non si sa come, seguendo poi il proprio uomo – che, con i sandali in mano, non ha fatto cenno né mostra di parola – la ragazza se ne va a capo scoperto lasciando l'uomo dalle mani d'aquila e la donna rapita in una sera a far l'amore in quel giorno nuovo che darà loro un'altra casa. E un altro risveglio. Per sempre insieme.

La rosa dai cento petali e il cipresso d'argento, in una notte nera come aloe, fecero a gara suonando il liuto. L'albero danzò leggero come se in luogo delle radici avesse plettri per toccare le corde.

La rosa cercò il vento e svelò seni rotondi di hurì lacerando nell'ebbrezza del canto il velo del pudore.

La rosa cantò e svegliò alla memoria un vecchio sharif, che trovò cento modi per accendere il fuoco nella notte stillante zucchero e canditi, il più nobile dei quali all'ombra di un'ombra. Quella della spada.

Ai fiori selvatici bisogna credere, sempre. E per una costa di collina, a Leonforte, tutta piena di ginestre, Angelino Lo Gioco divenne sacerdote. Poco più che bambino, gli capitò di osservare quel groviglio di rami, di cielo e di colori. Era nella campagna lavorata da suo papà – non c'era caldo e non c'era freddo, era tutto bello – e fu così che Angelino sentì una sillaba sconosciuta eppure familiare: forse un soffio, un lampo o una voce. Qualcosa ascoltò, avvertì una corda smuoversi dentro – tra il petto e la gamba, vibrante di nervi e impazienza – e volle a tutti i costi fare la strada del seminario.

Per quel suo primo appuntamento coi libri, poi, volle accostare all'obbedienza per i reverendi padri anche quella verso i doveri militari e così, don Angelino divenne soldato, ebbe le mostrine e il suo colletto da sacerdote s'accompagnò al *grigioverde* dell'uniforme e si lasciò alle spalle una guerra per essere poi braccato, lui che fu purissimo eroe, con una condanna a morte emessa su verbale del Tribunale Alleato dagli invasori e controfirmata dai generali felloni e traditori.

Riparò nella clandestinità, viaggiò nel mondo, tornò in Italia e venne onorato nei ranghi della chiesa e delle forze armate, riconosciuto galantuomo della parte antica e vinta, ritrovato milite per Cristo e per le caserme dove divenne cappellano militare.

Viaggiò, viaggiò sempre, fu in Palestina – incaricato militare accreditato presso la sede vaticana – e fu lì che strappò agli sciacalli, per salvarle, le vestigia di Roma e degli apostoli. Dagli scavi archeologici le terraglie erano già destinate direttamente alle discariche per cancellare le tracce: come se bastasse una colata di calcestruzzo sui calici fatti di polvere e pietra per azzerare la memoria dell'Eucarestia. Fu avvisato nottetempo dal custode del Santo Sepolcro, un maniscalco musulmano scelto apposta per venire a capo delle infinite diatribe tra le varie confessioni cristiane.

Viaggiò e soggiornò a lungo nei luoghi d'Occidente e di Oriente, don Angelino. Fu diplomatico e missionario. Fu ufficiale e pastore. Fu operaio di carità e di dottrina e fu uomo di mondo, di rara accuratezza e vero signore. Fu con lui che capii l'unità indistinguibile tra persona e mondo quando al funerale di sua mamma, celebrando messa, disse: "Preghiamo per nostra sorella, mia madre."

L'amore per Dio lo rese elegante e disinvolto e quando – nei pochi giorni di passaggio, al paese – faceva sosta al Circolo di Compagnia, bastava la sua sola presenza, accanto ai tavoli di ramino, a trasformare quella società minuta di gazzose e ceci tostati in un esclusivo club.

Il taglio del suo abito – nero e spezzato dal collare bianco – rivelava la sua figura di uomo proprio maschio. Fumava sigarette e tutta quella sua noncuranza, fatta di sguardi accesi, rivelatori della sua forte personalità, strappava uno stordimento alle signore. Loro avrebbero volentieri voluto annegare d'amore, fosse solo dentro il suo bicchiere di scotch, ma lui fu sempre leale alla chiamata di obbedienza e regola; rise di gusto quando zio Nino gli sottopose uno schema di lapide mortuaria: "Qui giace, finalmente solo, il più volte padre, il sacerdote Angelo Lo Gioco", ascoltò con divertita attenzione e poi disse: "Devi farti autorizzare dal vescovo, non vorrei che *il più volte padre* risultasse come un indebito accrescimento del rango sacerdotale..." Rise. E pur con quella meravigliosa faccia da schiaffi non ebbe mai a cedere alle più audaci delle signore di provincia e quelle del gran mondo, desiderose di lui.

E io me lo ricordo così, zio Angelino, con quel suo assaporare il liquore mentre gli amici – sempre in soggezione davanti a lui che conosceva il mondo e i *restaurants* della City – si passano le carte nell'interminabile rituale del passatempo di paese e il cameriere, con l'apribottiglie in mano, diventa quasi un *maître d'hôtel.*

L'amore per Dio fece di lui, nella sua vita di mondo e santità, l'uomo del sorriso. Proprio l'uomo della gioia, l'uomo della fede semplice e luminosa, fu lui che in quella terra di *lupucuvii* (di lupi tutti cupi, dai tinelli tutti bui, con le finestre sempre chiuse), lui – al contrario – faceva mostra di evangelica allegria. Come quando da quercia ottuagenaria, giunto ai giorni dell'eremo, in casa sua, accoglieva i visitatori abbagliandoli col buonumore. Ed era sempre gara ad andare da zio Angelino, raggiungerlo nella sua stanza da pranzo dove dilagava sempre il buongiorno anche se il mobile del salotto cominciava a diventare un raccoglitore di referti: quelli della chemioterapia per Santina, la sorella che viveva con lui e lo chiamava "padre" e poi quelli che lo riguardavano e che non ebbe mai a compulsare con rassegnazione ma sempre con grata accettazione avendo visto scorrere – senza mai rincorrere, lui che ebbe sempre il passo spedito – una vita meravigliosa, la sua vita di reverendo e soldato.

Questo fu zio Angelino e fu milite. Servì le armi nelle schiere della più spavalda delle milizie: quella del Cristo del sorriso. I fiori selvatici, le ginestre, onoreranno il riposo della sua tomba.

Nessuno è mai abbastanza:
"Non si devono permettere!"
Così diceva la signorina Lia, mia zia. E si riferiva ai suoi pretendenti. Ai piedi di uno dei quali, sdegnosamente, gettò il prezioso anello che quello le aveva regalato. Lei, bella come e meglio di Sophia Loren.
Ragazza di paese, la signorina Lia, mia zia, aspettava ogni giorno il treno giusto, e non volle mai concedere la propria mano perché nessuno, per lei, era mai abbastanza:
"Non si devono permettere!"
Proiettata nell'allegria di una vita baciata dalla politica, sempre al seguito di zio Nino e perciò messa in vetrina nel mondo minuto di Leonforte diventato d'improvviso grande con il parlamento e il governo, non trovava mai qualcuno – non lo incontrò mai – che fosse abbastanza, sufficientemente degno:
"Non si devono permettere!"
La signorina Lia, mia zia, è il capo di una famiglia, la mia, di cui amministra gli album di fotografie con tutti i morti importanti. Da loro gemmano, in verità, non una ma almeno tre, anzi quattro e pure cinque famiglie. Ciascuna ha il proprio cognome e ognuna è messa a registro da Lia – la signorina, mia zia – che

nella contabilità sentimentale calcola anche i contraccolpi della modernità. Dunque, tra quei fogli plastificati dei raccoglitori inserisce chi nel frattempo entri, senza però mai escludere chi – nelle separazioni, anche dolorose – esca.

La prima volta che arrivò il divorzio nelle nostre case – "nelle nostre famiglie!" sottolineava con il sottinteso di una superiorità morale la signorina Lia, mia zia – fu con zio Saro l'americano. Lui arrivava ogni estate con sua moglie, zia Antonietta. E tutti, in famiglia, tutte le nostre famiglie, si mobilitavano per accogliere la tribù venuta dagli Stati Uniti. Venivano, infatti, oltre ai coniugi, il figlio, la nonna (zia Grassy), vari cognati, cognate e boyfriend e girlfriend di ogni genere, da alloggiare poi in case diverse per non comprometterne, con la notte, il decoro dell'ospitalità, non essendo le case – "le nostre case", segnava come a marcare un confine con il mondo degli altri la signorina Lia, mia zia – luoghi di comodo.

Ricordo i bigodini e le vestaglie. E le camicie da notte. Nonna Maria, mia nonna, e zia Grassy, sua cognata, facevano il défilé tra le risate e gli applausi di tutti.

Stavamo radunati nel salone e nel terrazzo di Faccia Lavata. È la casa di campagna dei miei antenati in contrada Zolfara. E la serata di benvenuto per i parenti americani si svolgeva secondo un canovaccio ben preciso. Zia Grassy se ne stava seduta, circondata dalle donne, ad accogliere i bacetti dei bambini cui donava la monetina – "Piglia il tuo dollaro, figlio bello!" – e zio Nino, il regista di quella celebrazione, se ne stava ad aspettare nel piano superiore che Antonietta l'americana completasse la sua toletta per poi scendere insieme, a braccetto, dalle scale nel boato degli evviva.

Zia Antonietta l'americana, con quei suoi capelli biondoramati, indossava una fascia a bandoliera con sopra scritto:

"Miss Faccia Lavata". Con il senno di poi – che poi sarebbe il senno di adesso – è un bel lapsus "miss faccia lavata," ma non si faceva filologia alla Zolfara, la casa si chiamava così e basta.

Zia Antonietta l'americana era la star della serata, e, come ogni regina consapevole del proprio ruolo, immancabilmente, ogni anno, si toglieva la fascia e la consegnava a Lia, la signorina mia zia, sotto lo sguardo compiaciuto dei suoi genitori, dei suoi fratelli e di tutti noi bambini che a zia Lia riservavamo il battimani più chiassoso.

Zio Saro l'americano, suo marito, era proprio fiero di lei. Lei era argentina sebbene di sangue italiano. Tutti quegli americani della nostra famiglia erano il risultato di antiche emigrazioni, e zio Saro l'americano, tutto yankee, era orgoglioso di quella donna snella, moderna e forse paziente nel sopportare queste lunghe vacanze nel paesello con tutti i maschi del circondario che si prodigavano in galanterie per lei: chi portava il bicchiere di granita, chi il paniere di gelsi, chi le uova fresche. E chi, come zio Ciccio, il fotografo per eccellenza, la eleggeva a modella. La trascinava in tutti i luoghi del pittoresco per farle ritratti in posa, il più suggestivo dei quali alla "Gran Fonte", la fontana dei "Ventiquattro cannoli", dove la zia americana, nella sua tenuta da dinner party, si degnava nella scena della brocca da riempire. Non senza far sbucare le corna dei buoi all'abbeveratoio sullo sfondo.

Le giornate degli americani scorrevano tra gite e lunghe discussioni sul terrazzo da cui si godeva il paesaggio di Kore.

Un velo d'ombra calava quando i ricordi tornavano al tempo della guerra, e perciò si doveva parlare di politica. Al tempo dell'invasione americana, zio Nino era stato condannato a morte. E a Faccia Lavata, in tutta la contrada Zolfara, fino ai margini del paese, altri americani – non certo i nostri parenti –

c'erano stati come occupanti, con i loro fucili a tracolla, quando facevano rastrellamenti di siciliani vestiti a lutto scambiandoli per camicie nere della rivoluzione, e quando i miei zii, con mio padre, ancora bambini e sfollati in campagna, facevano mangiare loro i fichidindia con tutte le spine.

Piccoli dispetti, questi, ma i veri malacarne erano gli inglesi, che mettevano in colonna i prigionieri verso Ponte Petrangelo, gli facevano girare l'angolo cieco del pilastro e poi, una volta spariti alla vista di chi stava dietro, in fila, sparavano una sventagliata di mitra in aria per spaventare quelli che ancora non sapevano cosa gli sarebbe accaduto una volta incamminati nel sentiero. Tra loro, e il racconto veniva ripetuto ogni volta, c'era zio Filippo Buscemi, il dottore, futuro suocero di zio Nino, sbattuto dopo in un camion verso il campo di concentramento di Padula.

Calava dunque l'ombra ma poi, ecco, zio Nino, pur sempre un politico di riconosciuto tatto, a mezza voce diceva:

"Il cugino Saro non trasvolò mai la Sicilia."

E tutti noi, anche noi bambini, come a sgranare un rosario, ripetevamo:

"Non bombardò mai la sua patria."

Zio Saro l'americano lavorava all'FBI e siccome a me, personalmente, l'America mi arrivava attraverso la lettura settimanale di Walt Disney, con i miei cugini – per me tutti dei fratellini – sognavamo immaginando chissà quanti arnesi d'intelligence tra quei bagagli. E perciò pistole, lenti d'ingrandimento, polverine misteriose.

Zio Saro l'americano ogni tanto si allontanava da solo, da Faccia Lavata, si prendeva una macchina e spariva per qualche giorno, lasciando la moglie a Leonforte; e tutti pensavamo che andasse via per lavoro, per una missione segreta, per catturare Gambadilegno o Macchia Nera, e – malgrado avesse indossato l'uniforme americana – zio Saro l'americano era un mito così amato che quando nonna Nina, puntandomi addosso i suoi occhi grigi, un giorno mi domandava "Cosa farai da grande?" io rispondevo deciso:

"Il detective."

"E che viene a significare?" mi chiedeva sinceramente turbata mia nonna.

"Come Topolino!" rispondevo entusiasta. E le spiegavo meglio: "È quello che prende i ladri."

"Schifìo! 'U sbirro vuoi fare?"

La modernità, dicevo. Con l'apertura delle scuole, a ottobre, arrivò la notizia del divorzio di zio Saro l'americano da sua moglie, la bella "Miss Faccia Lavata". Quel fatto, ai piccoli come ai grandi, non ci dava pace. Sembrava il presagio della fine di un mondo, e lo era.

Zia Razzù, la mamma della signorina Lia, mia zia, proclamava irremovibile:

"Se Saro osa presentarsi in questa casa, lo butto giù dalle scale."

La signorina Lia, intanto, mia zia, si aggirava per casa raggelata dalla notizia e mossa a commozione al pensiero della povera abbandonata. Senza considerare il fuso orario, si attaccava al telefono nel desiderio di una smentita o di un ravvedimento, di un qualcosa che potesse cancellare quella vicenda sconosciuta – diceva zia Lia – "alle nostre case, alle nostre famiglie", e zia Antonietta l'americana rispondeva, sveglia nel cuore della notte, e piangeva tutte le lacrime smozzicando tutti i *thanks* a Lia, la signorina, mia zia, che le ripeteva come un mantra:

"Tu resti la mia cugina. Tu qui puoi tornare quando vuoi. Tu qui hai tutti noi, cugina cara..."

In America era possibile tutto ciò. Zio Nino zittiva tutti spiegando che sono cose che capitano nel tempo nuovo, e la signorina Lia, mia zia, vedeva arrivare i tempi nuovi con nuovi divorzi. E sempre senza che lei, per conto suo, accettasse di sposarsi. Nessuno era mai abbastanza. Raggiungeva i trent'anni e diceva:

"Non si devono permettere!"

I tempi nuovi, dicevo. Dove aggiornare i suoi innumerevoli album fotografici. E siccome erano, quei quadernoni, una sorta di enciclopedia ragionata delle cose e degli uomini in cui s'incorreva nella vita, tutta una miscela di ruoli, mestieri, arti, professioni e mondi, la signorina Lia – mia zia – come con la plastilina modellava la storia delle nostre famiglie al modo di un'epopea contadina, artigiana e nobile al contempo.

C'era donna Graziella Musumeci Buscemi, la suocera di mio zio Nino, una signora che ai tempi – negli anni cinquanta del secolo scorso, nella Leonforte dove c'era una sola automobile, quella del marito – aveva l'unico pianoforte. E che sapeva suonare.

Donna Graziella Musumeci Buscemi era la raffinatezza, l'eleganza, la gentilezza e l'educazione fatte persona. Le foto oggi confermano l'impressione che mi si stampò quando, da bambino, ne avevo soggezione, perché lei tra l'altro dipingeva, parlava il francese, sorrideva e acconsentiva che tutti noi, di schiatta rumorosa e nuova, proprio nuova, potessimo accostarci a lei che di servitù e di privilegi ne aveva avuti tanti da affinare una natura speciale che la rendeva specialissima; tuttavia – ora che ci penso – lei non c'era a Faccia Lavata per la proclamazione della Miss, o forse sì, devo controllare l'album; ma non potrò mai dimenticare quando con fare delizioso, osservando mio cugino Nunzio che succhiava gli spaghetti spinti sul bordo del piatto con la forchetta impugnata come una cazzuola, lo fermò e, senza farlo sentire in imbarazzo, in un minuto gli spiegò il modo e la forma dello stare a tavola, tanto che ancora oggi, mio cugino, mastro muratore, siede al desco con il rigore di un ufficiale della Marina militare tedesca.

Insegnava a tutti qualcosa, donna Graziella. Di non sputare i semi dei *millicucchi*. Erano, questi, piccole bacche squisite che raccoglievamo dagli alti alberi del suo giardino, in contrada Catena. I semi si dovevano portare dalla bocca direttamente nel cavo della mano. E di non chiamarli "ossi" quei noccioli, questo ci insegnava ancora: piuttosto "proiettili", rotondi e lisci com'erano, perfetti per usarli nelle cerbottane e spararli sui polpacci delle donne, per strada, perché – insomma – eravamo piccoli e pur pestiferi. E lei sorrideva.

Organizzava viaggi, donna Graziella. Convocava la figlia e con lei le cognate, le consuocere, le cugine, le nipoti e, naturalmente la signorina Lia, mia zia, e le portava a Lourdes. Partivano dall'aeroporto di Catania. Al tempo si potevano accompagnare fino ai piedi della scaletta mentre gli addetti, con la forza delle braccia, avviavano le eliche. Gli uomini restavano a terra per fare ciao ciao con la mano; con loro andavamo anche noi bambini e zio Nino, beffardo, scherzava:

"Vediamo se la Madonna ci fa la grazia e ce ne libera in un colpo solo."

Nel giardino dei millicucchi di Villa Graziella (si chiamava così, manco a dirlo), mi capitava di andare con il nipote della signora e più di una volta mi ritrovai a giocare dentro la carcassa di una Balilla rimasta lì dagli anni trenta e che ormai aveva fatto le radici. Vi si era affiancata, ma era ancora integra, una cabriolet con cui zio Nino e Antonietta, la figlia del dottore Buscemi e di donna Graziella Musumeci, poterono fendere la folla plaudente nel giorno del loro matrimonio.

Zio Nino era "l'onorevole". E zio Nino, figlio di don Pietro, mastro calzolaio, ebbe in sposa Antonietta, la cui casa in paese, in piazza Rotonda, era Versailles. E non esagero.

Il fatto era stato preparato da ciò che zio Nino era stato e che ancora diventava in quel tempo ormai lontano: combattente clandestino, latitante, giornalista, militante politico, deputato. Il dottor Buscemi, reduce dalla prigionia, vedeva in quel genero la conferma di una generazione nata nella guerra, e così l'abisso sociale fu colmato nell'innesto proletario sul saldo tronco del galantomismo dei combattenti.

Zio Nino era zio Nino. La foto, tra le più care degli album della signorina Lia, mia zia, restituisce il suo sguardo di devastante sensualità. E ci credo che le donne, tutte, gli s'inginocchiassero come innanzi a un dio dispensatore di turbamento, perché zio Nino, poi, era un idolo erotico. Nell'autunno dei suoi giorni, sempre più beffardo, diceva:

"Tre vizi ho avuto nella vita. Due me li sono tolti io, il fumo e le carte. Uno, invece," sottintendendo le donne, "me l'ha tolto il Signore Iddio."

Diceva questo con quella sua particolare virgola di sorriso che con il senno del poi – il senno di oggi – svela tutto il contrario. Passava le notti dei suoi ultimi giorni in una lunga e unica veglia, e il suo telefono squillava in continuazione: tutti i suoi amori che gli parlavano e lui che con la sua voce roca, pur nel sottofondo dell'erogatore d'ossigeno, le faceva sognare in un sogno di malinconia tutta dolce. Una di loro, piangendolo, mi disse:

"Ero cagna ed ero dea con lui."

Le donne della famiglia – “le nostre famiglie, le nostre case!” per dirla con la signorina Lia, mia zia – erano sempre di rango superiore ai mariti. Le nonne, infatti, erano di ottima casata della borghesia imprenditoriale e colta, contigua alla nobiltà siciliana di fede borbonica.

La bisnonna, Maria Iolanda Cantone, sposò Saro Giunta e fu genitrice di tredici figli tra cui Maria Venera, mia nonna, Nunzio di cui dirò tra poco e poi Razzudda, ossia Grazia, la madre della signorina Lia, mia zia.

Maria Iolanda che sposò Saro era figlia di Giuseppe Cantone, al tempo sindaco di Nissoria, la cittadina del Casale, detta anche “dei piedilordi”, fondata con una delle ultime “licentia populandi” dell'isola e conosciuta appunto in quel modo irriguardoso, per via dei suoi primi abitanti: tutti scalzi, reduci dai camminamenti agresti da cui ricavano solo calli e sporcizia.

Donna Maria Iolanda sposò dunque Saro, che era a sua volta figlio di don Salvatore, amministratore delle miniere di Sicilia; e a indurre le ultime figlie a sposare due artigiani (a differenza dei fratelli e delle sorelle maggiori, che avevano tutti realizzato matrimoni di rango) fu il decadimento della nobiltà e della borghesia dell'entroterra a causa dell'Unità d'Italia (con i piemontesi che, sia detto per inciso, consegnavano agli inglesi il controllo di quelle miniere di zolfo che erano i pozzi petroliferi di allora).

E fu così che le due sorelle più piccole, Maria Venera e Grazia, sposarono l'una don Pitrino, ossia mio nonno, già emigrato, reduce dunque dalle Americhe e poi calzolaio, e l'altra zio Fino, conciatore di cuoio e, dopo, eroico bersagliere.

Erano combattive, le donne della famiglia. Grazia, per dire, fece una lavata di testa al parroco insultandolo in piena predica. Quello, con l'Evangelo aperto, se ne stava sull'altare a fare propaganda elettorale alla Democrazia cristiana, e mia zia, ancora con la veletta in testa, lo fece nuovo raggelandolo d'improperi; tanto che nei giorni appresso dovette intervenire il vescovo per portare pace tra i parrocchiani, pace che poté trionfare solo con il trasferimento del prete. Nientemeno che a Reggio Emilia.

Le donne della famiglia – "le nostre famiglie, le nostre case!" – anche nei tempi nuovi si sono dimostrate migliori degli uomini. Quando mio cugino Maurizio, accasato con Marzia Privitera Squillaci, si entusiasmò delle pratiche chic dell'élite di massa, decise di comprarsi il *decanter* (la boccia di vetro dove traboccare il vino da mescere a tavola per poi farlo "respirare"). Ma la signorina Maria, una figura di solida contadina, bassa e dalle gambe arcuate, da sempre eletta come cameriera onnipresente nelle alchimie domestiche di casa Squillaci, trovandosi davanti lo strano vetro, se lo studiò, lo soppesò e, con un gesto definitivo, lo scagliò a terra dicendo:

"In casa Privitera-Squillaci bottiglie con il culo storto non ne possono entrare!" Ove si dimostra la superiorità aristocratica del terragno sul glamour pop.

Le donne della famiglia si raccontano però in una sola, la signorina Lia, mia zia, l'anziana custode di una scienza oggi difficilissima: quella che riesce a distinguere il sedersi a una tavola già imbandita e l'accomodarsi a un desco ancora tutto da apparecchiare.

Tutto ciò che si trova nelle borse di queste donne è la veletta, il foulard con cui ci s'acconcia per ascoltare messa, perché la caducità non si spreca con la malevolenza, la tristezza e il rancore e Lia – la signorina, mia zia – è sempre inappuntabile, con il suo foulard e le sciarpe. E con gli anelli. E non è rigore, piuttosto amore.

In una chiave di solare follia che le consente di tenere tutti i fili delle famiglie, e delle case, sotto il suo controllo fatto di risate e gioia, Lia sparge ottimismo anche adesso che il tempo, a poco a poco, si porta via il mondo tutto suo fatto di quelle case e di quelle famiglie.

C'è solo lei e nessun altro. L'immagine stessa che ognuno ne serba nell'anima per tutte le volte che si passa dal paese – per i morti, a Natale, per il Venerdì Santo e Ferragosto – e non c'è niente, è lei e niente più. Dopo di che solo tombe da visitare o facce su cui sforzare un ricordo, accendere un sorriso, rimuginare un qualcosa mentre lei, sentinella di quel mondo completo è sempre a servizio dell'amore. E forse consapevole, forse no, lei che ha servito fino al momento ultimo sua madre, è stata sempre a servizio dell'amore.

Tutto quel non essere più non è certo meno amabile di quanto fosse nel passato tutto il frastuono di vita, di festa, di viaggi, di fortune e di giovinezza. E tutto torna in lei, sempre pronta a orchestrare un ricordo cominciando un nuovo foglio di libro, il suo album di fotografie, giusto adesso che ha imparato a usare la digitale con cui sforna istantanee e nuove storie.

Lei che abita da sola una casa piccola e confortevole come quelle delle favole, lei che ha visto in quelle mura il più grande dei presepi possibili costruito con le pietre cave e i pungitopo (e le arance di Palestina intorno, dorate e piene), lei che ha aperto il tavolo centrale del suo soggiorno zeppo come un uovo per farne tavolate degne delle più succose padelle, non ha mai ceduto alla solitudine; ed è sempre un pranzo mai pronto e tutto da improvvisare il suo procedere nei giorni dove, ad uno ad uno, qualcuno sparisce dalla vista e non c'è più.

La signorina Lia, mia zia, è l'esatto opposto di tutti gli altri, i deboli, spaventati dal tempo che passa. Quando sua madre, ancora in vita, portava il discorso sul matrimonio eventuale, lei chiudeva con un'alzata di spalle e una battuta scioccante:

"Ma vossia che dice, mamà, che se poi qualcuno si sventura ad alzarmi la vestina, vomita!"

Giusto lei, la cui bellezza fu leggenda, se la rideva senza mai cedere a una lacrimuccia, ché quelle le ha riservate sempre e solo a dolori veri, giammai ai rimpianti.

Ed è tutto il contrario, lei, di quelli per cui la solitudine è baratro. In lei è diventata fortezza, anzi, riparo cui si destina la folla di parenti, amici, conoscenti, vicini, paesani. In una parola, quel presepe di vita formatosi ai margini di un preciso tempo che fu mondo e comincia adesso a non essere più. A farsi eco in lei che non sa preparare torte piuttosto frittate di peperoni, zia Lia che non è una dolce vecchina ma una capitana dell'ottimo, una sorta di cornucopia del buonumore.

Una giovialità inesauribile quella della signorina Lia, mia zia. Il giorno in cui fu ricoverata a seguito di un incidente (il disgraziato sinistro in cui trovò la morte zia Antonietta, la vedova dello zio Nino) i medici e gli infermieri di quel lontano ospedale credettero di avere in degenza una misteriosa autorità, per via del popolo che si riversava in corsia per farle visita.

La caposala, incuriosita, le domandò:

"Ma lei, signora Erbicella, è per caso un deputato, un magistrato o il sindaco di qualche paese?"

"Signorina, prego," precisò lei.

E aggiunse:

"Viceré, un tempo. Fummo viceré." E con il gesto includeva nel plurale zia Antonietta e zia Mariella e zio Ciccio, tutti degenti nella stanza in quanto fratturati nello scontro subito in un giorno che doveva essere di festa, la laurea di Maria Antonietta.

"Tutti viceré a Sala d'Ercole."

Disse così, col sottinteso che si fosse stati tutti, davvero, dei viceré. Tutto quel mondo e tutta quella storia. Tutte quelle case, le nostre. E tutte le famiglie, le nostre famiglie. Viceré di zappa, martello, chiodi e muratura di cui lei, oggi, con i fantasmi, amministra il seme futuro.

Viceré il cui piglio, in lei, ripete la sentenza:

"Non si devono permettere!"

Nessuno è mai abbastanza. La meglio acqua, recita il proverbio, se la bevono sempre i porci. Per questo nessuno è mai abbastanza. E dev'esser stata una vena sempre viva quella dell'erotismo e della bellezza – a dispetto della modernità – "nelle nostre case, nelle nostre famiglie", sempre per dirla con mia zia. Mio zio Saro Erbicella, fratello della signorina Lia, mia zia, da ragazzo era così appetitoso che le turiste americane gli facevano la posta per portarselo fino a Capri. Sembrava quel tipo di attore da primo piano, ritratto di profilo, dei film in bianco e nero americani. E zio Saro Erbicella, adesso, pur devoto a Dio, esercita sul tema un sublime cinismo il cui fondamento è tutto nel domandare:

"L'amore, l'amore vero, quello che rende pazzi di dolore, ce l'hai?"

Bello com'era zio Nino è mio cugino Pierfrancesco, capacissimo, come effettivamente faceva da adolescente, di sedurre la professoressa che gli dava le ripetizioni di latino e farsi applaudire, a scena aperta, durante una sua arringa quando – adesso è avvocato, a Catania – nel fronteggiare una Pm avvenente e severa, nel crescendo di un proporre attenuanti, tempi brevi, riduzione di pena, tutti frantumati nel no e poi no dell'affascinante magistrato, senza arrendersi, sfoderando il suo sorriso da Lucignolo, rispettosamente chiedeva:

"Almeno il suo numero di telefono, almeno quello. Posso averlo?"

Scattò l'applauso del pubblico e dei colleghi; perfino il cliente – rassegnato, pur terrorizzato – batté le mani. Il presidente dell'aula riportò la calma mentre la signora – il Pm – tratteneva a stento il sorriso. Pierfrancesco capì di averla fatta grossa, ma per quei fauni che pur sempre zompettano nel giardino delle Ninfe, il Pm il numero non glielo diede e tuttavia lo chiamò da un'utenza coperta... e poi chissà, dopo non so.

Bello, poi, bello come un principe del deserto, è mio cugino Maurizio. Ha così tanta consapevolezza del suo essere un pezzo d'uomo, che credo sia l'unico italiano cui l'anagrafe abbia concesso di mettere, nella carta d'identità, non una foto a mezzobusto frontale ma di tre quarti. È un ritratto del maestro Risicato, e Maurizio se ne sta con indosso un cappotto di cammello, tipo quelli che indossava zio Nunzio, il gagà di tutti noi, il vecchio zio che adorava stare in giro, ospite di tutte le case, nelle nostre famiglie, e che – forte del suo studiato passo, calzante le ghette – svolgeva sempre mansioni di accompagnatore. Instancabile nella conversazione, vestito sempre di tutto punto con il suo bastone da passeggio, il cappello comprato da

Barbisio e i rigati di panno blu, zio Nunzio andava spesso con zio Nino, in parlamento, agli incontri ufficiali, agli appuntamenti con i funzionari e perfino nella mitica bottega del barbiere di via Crociferi, dove – aspettando di radersi – inesorabile attaccava bottone con Sua Eccellenza l'ambasciatore Filippo Anfuso, prontamente salvato però dal maggiordomo addestrato a distrarre zio Nunzio con i calendarietti osé delle donnine nude, che gli procuravano una sorta di trance, pacificandogli la troppo sciolta parlantina.

Zio Nunzio era sposato con zia Rosa, ma era ubriaco di femmine per quel motivo tutto siciliano e tutto sensuale di esagerare, visto che in quella terra, al passaggio di una sottana, pure le pietre sudano. Un giorno si trovò nel portico del palazzo dei Normanni, proprio nei pressi dell'ingresso di Sala d'Ercole, l'aula del parlamento, ed era a braccetto con due donne, a una delle quali aveva affidato il proprio bastone mentre all'altra – in equa distribuzione – la propria paglietta.

Era una bella giornata di primavera e zio Nunzio, gigione, si beava di siffatta compagnia. Carmelino Monaco, un amico di famiglia, imprenditore e perciò sempre attento ai lavori delle commissioni parlamentari, incrociandolo in quella bella corte, impegnato in così allegra tenzone, si complimentò:

"Sabbenedica, zio Nunzio, ma vossia non è sposato?"

"Sìssi," rispose mio zio, "sono sposato. Ma non fitto fitto."

Era sposato, dunque, zio Nunzio, e quando con Carmelino Monaco fecero il viaggio di ritorno insieme da Palermo verso casa, zio Nunzio non fece che tessere l'elogio della moglie. Compose una vera e propria elegia di "Rosa il cui profumo è rosa, soave rosa della mia rosea vita" preparando così l'amico alla visione della stessa una volta arrivati a casa, dove, immancabilmente, la moglie assolveva ai compiti propri di una musa domestica. Arrivarono a Nissoria, dunque, e sulla porta di casa apparve zia Rosa, una brava massaia non alta ma assai prospera di seno, impegnata nella preparazione della salsa, imperlata di sudore e di schizzi pronta ad accogliere Carmelino Monaco in un abbraccio presto misericordiosamente frenato da zio Nunzio, eccelso uomo di mondo, che così disse alla moglie:

"Rosa, no. Non così fitto fitto."

Le cose non si dicono per delicatezza.

Per delicatezza non ci si fa avanti.

Delicatezza impone un sorriso e non è circostanza – sospensione dell'azione – bensì gusto.

Non è neppure ipocrisia, la delicatezza è propria del cristallo puro e non è biacca con cui imbiancare i sepolcri.

La delicatezza è il rispetto della sensibilità altrui. Si risparmia al prossimo una notizia o un giudizio.

Chi ha delicatezza è come un esemplare raro che si presenta al cospetto del presente proveniente da una stagione remota.

La delicatezza è sottile ed è virtù segreta, certamente all'opposto della qualità propria dei praticoni, ovvero l'utilità.

È cosa squisita assai la delicatezza. Si schiude dalle peonie e rende svelta e forte la fragranza di un saluto. È un'eleganza concettuale. È l'uniforme della scuola eleatica, e nel porgersi, quasi a indietreggiare in un incanto d'inchino, la delicatezza è come l'occhio che – ed è faccenda di amore antico, questa – non invecchia e comunque imposta una fisionomia. Il fatto è che ho sognato Cyrano de Bergerac. Stavo per svegliarmi ma c'era accanto a lui Maddalena Robin, sua cugina. Mi sono girato sull'altro lato del cuscino. Tenendo a mente la sua sublime delicatezza. Tutta di attesa e di silenzio. E oblio.

Il più dionisiaco di tutti, tra i miei zii, era invece zio Gianni, appunto "il conte Vanni d'Erba", l'altro fratello della signorina Lia, mia zia. Le cose viste con gli occhi da bambino le capisco adesso, nei miei cinquant'anni, dopo aver attraversato tutte le suggestioni e le scuole più alte. E quel suo disseminare nascondigli nella campagna di famiglia, contrada Bungalò, per inzepparli di leccornie e di liquori, era un rituale di preghiera a Dioniso; e non c'è posto più fecondo di allegria e di letizia di Bungalò, perché zio Gianni, vestito coi tralci di vite, votò tutto al rituale dell'amore pazzo di dolore e al contempo di gioia. Lui era maestro di scuola elementare e non ho mai letto pagine perfette e belle, e commoventi, e meravigliose, e struggenti come quelle scritte dai suoi scolari per lui, quando nel congedarsi per non essere più bambini, gli dicevano "Ciao, signor Maestro, ciao!"

Il più bambino, il più giocherellone, il più dolce dei cari morti è dunque il conte Vanni d'Erba, che fa ciao con la mano tenendosi in testa la papalina rossa di Babbo Natale; solo che adesso devo fare per come mi ha suggerito Valentino Picone e dunque tagliare, tagliare qui, perché – mi ha spiegato – appena una cosa ti commuove, smette di farlo per gli altri. Valentino l'ha capito a sua volta osservando Giuseppe Tornatore al lavoro, in Marocco, durante le riprese di *Baarìa*.

Funzionava così: appena dopo il ciak, se solo una scena gli strappava le lacrime dagli occhi, Tornatore tagliava. E così faccio io, la taglio qui.

Belli, infine. Belli i giorni, belli i fuochi di pazzia, di dolore e di amore. Ma bella, bella assai, sempre a posto, con le sue collane e il suo rossetto, anche adesso che tutti i treni sono passati, è la signorina Lia, mia zia.

La sua bellezza, mai messa a frutto in un matrimonio, in un amore, è un mistero. Nessuno è mai stato abbastanza per lei:

"Non si devono permettere."

Lei parlava a un mondo fatto di certezze – il rango, lo status di tutta una tribù, la nostra – che il tempo, se non ha frantumato, ha mutato in un deposito di ciò che non è stato fatto in luogo dell'aver fatto. E tutto quello che non ho evocato qui, adesso, come dice Valentino Picone, è nelle lacrime.

C'è la luna piena nell'ora in cui le mucche partoriscono vitelli i cui muggiti s'alzano in alto, più in alto di tutti i pini, e poi forse – è vero – tira una brutta aria.

C'è la luna, che non è mai ingannatrice. E a lei, perciò, bisogna credere, sempre.

Le giumente strusciano il muso sui labbruzzi dei puledri per nutrirli di fiato e d'amore, ma la notte è solenne ed è il pieno giorno a farsi unto di umori, con le nubi che avvolgono la nostra mente e, temo, anche i nostri cuori.

Ci si mette sempre in cammino per vedere di che storia trattasi quando si tratta di storie, e ci sono le giumente e alle giumente bisogna credere, sempre.

Il cosmo si ritrae e se solo torna – nell'eterno tornare di tutto – ci trova distratti, avvoltolati ai predicozzi dello spirito del tempo come agli asciugamani a nido d'ape quando affidiamo loro le nostre emicranie, così come alla maga.

Nel vero senso del termine, dico “maga”.

E ne ho conosciute di maghe, spesso fasciate con lo zinale delle femmine di casa. A loro offrivo la mia povera testa martellata dai dolori di sentimento e di malinconia; e loro, sui capelli – mentre me ne stavo seduto in penombra, al centro di una stanza avvolta nel silenzio – poggiavano un piatto colmo d'acqua, dove lasciavano scivolare tre gocce d'olio e poi il sale per spaccare l'occhio del malocchio.

C'è dunque una maga. E alle maghe bisogna credere, sempre.

Tutta quella pozza in testa, aggrottata di formule e preghiere, si arroventava fino a farsi magma. Ed era come dare un fuoco alla paglia le cui scintille – le braci di fieno – s'alzavano in alto, più in alto di tutti i pini. Per spaventare gli incubi rimasti a galleggiare nell'aria.

La prima goccia – pluc! – per il cane Zuzù che inseguì il gallo.

Lesto di zampa e, forte di respiro, lo superò. Se la volle godere tutta, Zuzù, quella vittoria già in corso d'opera. Continuò a trottare, infatti, con il muso volto all'indietro mentre il pennuto starnazzava nello spavento, e però Zuzù andò a sbattere contro un albero, per poi riuscire a ostentare, pur barcollando, una sovrana indifferenza.

Gareggiavano sempre, il cane e il gallo. Uno faceva l'agguato, l'altro faceva mostra di sbattersi per i prati desiderando non poco di poter volare, ché le sue ali, presuntuose, al più lo facevano alzare di un solo dito, forse due.

Morì, Zuzù – Zuzù che aveva eletto a suo trionfale trono il cespuglio di papiro. Morì per via di un'infezione al collo.

La sorte gli procurò quella morte. Fu a causa di uno strappo. Se lo procurò attraversando il filo spinato che segnava i confini delle proprietà. E fu una ferita al collo.

Morì, dicevo, perché i vermi gli rosicchiarono la carne giusto in un punto dove non poteva arrivare con la lingua.

Morì dietro un folto ciuffo di salvia, osservato dal gatto Paolino l'Egiziano, o forse è meglio dire vegliato; e quella notte stessa, avendo io pianto tutte le lacrime di un pazzo dolore, non frignai più perché sentii rumori dal tetto, scesi dal letto e andai in terrazzo, da dove allungai il naso per guardare... e vidi Zuzù non più morto, ma vivo.

Pur morto, infatti, vidi Zuzù camminare sulle tegole spioventi. Lo vidi camminare spedito e cacciare il gatto verso la botola di raccolta delle grondaie per poi prendere – lui, sempre lui, il mio Zuzù – la lingua di luce bianca della luna, da cui si fece una strada per sparire sereno, salutando di allegri bau bau la notte di un 13 di ottobre. E fu così che Zuzù se ne andò per poi restare.

La seconda goccia per il gatto. Perché anche Paolino l'Egiziano, il mio micio, morì.

Lo cercai un mattino chiamandolo in tutti i modi, rullando i piatti di stagno sui ciottoli dell'aia, sbattendo le forchette, ma lui non arrivò. Il gatto Paolino crepò spalmato sull'asfalto della Statale 121, investito da una 850 Fiat. Io non lo vidi ma lo seppi per certo. Un manovale di mio zio Saro lo raccolse con la pala e lo seppellì. O forse lo infilò nella betoniera, non lo voglio neppure sapere. Ma fu certo che morì. Non tornò a casa e io mi feci un pianto così lagnoso e insopportabile da far venire l'urto di nervi a tutti. Tutti, appunto, erano disgustati dal fatto che si piangesse in modo così esagerato per un gatto, e dovette risolvere la questione mia nonna, il mio comandante diretto. Mi piantò i suoi occhi grigi in faccia (e ancora adesso sento rullare i tamburi dell'ultimatum in petto) per dirmi:

"Ma che piangi per un gatto? E quando morirò io, perché me ne andrò, che farai, ti farai ricoverare al manicomio di Messina, resterai pazzo di dolore nel cuore?"

E fu così che mi si spense il pianto, e restai zitto. Zitto e asciutto. Di ciglio e di pensiero. Cominciai a diventare uomo. Nel pazzo dolore dell'amore.

La terza goccia per la campagna che è terra sopra terra, terra che si trova sotto terra, tutta terra ostinata di terra.

Dove tutto è terra insieme a tanta altra terra che poi diventa ombra per l'albero che la regala, controluce per le foglie che bucano il cielo, buio per il capriccio di quel sole che se ne va e poi ritorna.

"Io sono il cielo e tu la terra." Così Sikander disse alla sua bella occidentale, baciandola nel primo bacio.

Terra che diventa spazio dove camminare, cuore che apre alla vista, bocca da cui sfamarsi è campagna, perché la terra – a cui bisogna credere, sempre – macina la vita; e anche quando piove, è la terra che torna al suolo e non è acqua tutto quel diluviare: è sempre e solo terra, che muta nelle sue innumerevoli fantasie, tanto da diventare anche stella, stratosfera, magma e profondità e poi ancora una pallina piccola di cacca di coniglio, mandorla dimenticata nell'erba e pure pietra che sopra pietra, sotto pietra e in mezzo alle altre pietre – da incastrare, lavorare e saldare – diventa geometria, misura della terra che traccia i campi e ne svela i tratturi, i sentieri e i percorsi.

Si prende un tramonto.

Lo si frulla, cioè lo si fa montare a neve perché con tutte quelle nuvole sparse un poco di albume si recupera.

Quindi si prende il tuorlo di sole.

Si sbatte, lo si mescola con la restante spuma di scogli e mare e poi si fa un impasto, non senza aggiungere il lievito dell'umanesi-

mo etico (meglio ancora il cattolicesimo democratico), e il tutto verrà messo a cuocere nel forno caldo dell'Europa, il cui grado di decadenza verrà portato a 950 gradi Fahrenheit. Quando sarà bello cotto, il mammozzone verrà servito guarnito di spread e titoli finanziari e poi dato in pasto alle masse fameliche degli umani post-occidentali che saluteranno il passaggio alla nuova era con un sofferto burp metafisico.

Alla campagna bisogna credere, sempre.

La campagna è il luogo dove si torna sempre. E la campagna, come il piatto dove affogo il cuore, con le gocce d'olio e il sale, annega ogni ricordo.

Fare campagna è fare giardino, giardino ovunque, affinché la terra – fatta bella, tutta ordinata – faccia venire voglia al cielo di scendere giù per farsene specchio.

Ecco, come faccio a spiegare che ancora oggi mi ritrovo ad allungare la mano cercando la schiena di Zuzù? Apro gli occhi e, ovunque mi trovi, inseguo nella finestra di ogni luogo il profilo puntuto degli aghi di pino. Spunta sempre la certezza che in una parte ormai lontana debba esserci il mondo di ieri; ed è così vivo da sentirselo vivere dentro, come ad averlo in tasca ma non poterlo mostrare neppure a noi stessi, perché quella è tasca cucita.

Ed è questa consapevolezza di sentire e non avere a fare pazzo di dolore tutto l'amore di cui è fatto quel mondo.

La Luna, una notte, fu presa da uno spavento. Manco il tempo di farsi allegra per la sua passeggiata – con i fiori a tracolla, i suoi glicini – e dovette affacciarsi tra braci ancora vive: gli incendi sulla montagna di Altesina, la cima da dove Idrisi, al seguito di Giafar, segnò i tre Valloni di Sicilia, ovvero Demone, Noto e Mazara.

Manco il tempo di farsi rossa per spargere i riflessi di amore all'upupa, che Luna, gioia mia, dovette rotolare tra i carboni anneriti di sugheri, querce e cespi di ginestre sfinite dall'estate e ormai svanite nella cenere.

Fatto fu che all'alba, facendosi largo tra i forestali e i vigili del fuoco, si presentò al Buraq, grattò un poco la terra con i suoi zoccoli, fece vento con le sue ali e poi versò una lacrima dall'occhio destro, e in quella goccia intrappolò tutto il fumo. La Luna gli sorrise, e già nel giorno nuovo la sua promessa porterà in dono la pioggia che laverà le rocce.

E tornerà presto a nutricare la montagna che porta al cielo.

Nel punto esatto dove batte il cuore del guerriero, il cuore del comandante Giafar.

È come il bacio della buonanotte, quel mondo.

È il lago di caldo che prende a scivolare dalle tempie per poi gocciare in tutto il corpo.

Torna come ogni notte faceva ritorno quel bacio, quando da bambini si fa finta di dormire perché nel sonno – dove vigila un angelo, un libro o una scimitarra – ogni infante ha sempre più bisogno del bacio.

Il mondo di ieri è come il silenzio che viene incontro quando si entra in una casa svuotata ormai e fatta ricordo dal destino quando il destino, appunto, porta altrove, in un viaggio, o anche nel dover andare via di tutti.

E sono ingressi impegnativi, quelli nelle case fatte vuote.

Ci sono porte da forzare, e quel ritornare dove c'era stata la vita non è mai un giro a ritroso nel tempo. Piuttosto è una sovrapposizione dei piani – quello di ieri e quello di oggi – perché i fantasmi dei mobili, innevati dalla polvere di calendari accartocciati da decenni di addio, travolgono con un frastuono di voci. Foss'anche il mero vociare di foglie colte nello scricchiolio dei nostri passi.

Sono rumori scoppiettanti di energia, al cui confronto noi – esploratori dell'oggi – impallidiamo senza aver pietà del disinganno, anzi, riconoscendoci in uno specchio per via delle spallucce ingobbite e degli occhiali sporchi di abitudine.

Il mondo di ieri è qualcosa che resta appiccicato negli occhi, è come la pasta madre che rinfresca il ceppo originario.

Ho visto piallare legni piccoli, pitturati di bianco e, appena dopo, inchiodati alla bell'e meglio per farne bare minute. Senza zinco.

Servivano per gli infanti strappati alla vita da colpi di acetone che nella lingua dei vecchi erano volontà di Dio, brevi parentesi di vagito inscatolate per sempre in quelle cassette rese mute dallo sgomento.

Ogni lacrima, ogni goccia d'acqua benedetta, si prosciugava nel ceppo originario.

Certi padri, però, come certi alberi, perdevano i rami per gettare nuove gemme e diventare più forti. Come quando si smette di essere ciò che si fu per diventare germoglio per tutti.

Al mondo di ieri bisogna credere, sempre.

Ho visto preparare il ferro da stiro con la carbonella, questo lo ricordo.

C'era una signora, una sarta provetta, che proclamava misteri gaudiosi e dolorosi della fede mentre stringeva corpetti e cuciva abiti addosso alle clienti.

Senza requie, la signora, assai bella nel mio ricordo, dava disposizioni alla serva di casa, che era una donna con la maglia di eterno lutto e calza bianca ai polpacci.

Ho visto disseminare di angeli, tutti veglianti, i quattro lati del letto per impedire alle "donne di notte", che sono le streghe, di sfasciare la notte agli uomini che il giorno dopo avrebbero dovuto avere forza e testa per poi portare a casa, con la giornata, il pane.

Ho solo cinquant'anni ma m'è rimasto tutto dell'età che fu, tanto da farla sembrare più che d'altro secolo d'altro millennio, tanto il mondo di ieri è tutto "una vita fa" di ceci verdi chiusi nei loro baccelli, attaccati ancora alle loro piantine e legati in cespi ai muli che facevano ritorno lungo i tratturi, al tramonto.

Ho fatto anch'io i miei agguati alle bestie per strappare parte di quei carichi. Lo facevo con gli altri ragazzi che lavorano nella bottega del barbiere, don Antonino Russo, dove da bambino passavo le mie giornate. M'incantava vedere la spuma di schiuma formarsi nel mulinare del pennello. E poi, divertente era ritagliare i pezzi di giornale in forma di quadrato. Venivano infilzati in un chiodo piantato sulla specchiera e servivano per nettare la lama dal sapone.

Era un mondo perfetto, quello della sala da barba. Si perdeva tempo e s'imparavano tante cose, come la dialettica causa-effetto nel contesto di buona educazione.

Ricordo un cliente, infagottato di asciugamani e insaponato, che non aveva mai requie. Si alzava, usciva fuori, del cul facea trombetta, e poi lesto tornava dentro. Una volta lo fece almeno quattro volte. Sempre strombettando a ogni uscita, fino a quando don Antonino, serafico, gli disse:

"Vossia ha ragione ad alzarsi sempre per fare la sua aria. Ma facciamo così, facesse al contrario, il pirito lo facesse dentro e la puzza la portasse fuori..."

Lì ho imparato tante cose, dunque, la più bella delle quali – oltre lo spazzolare le spalle e scopare i peli per terra – era appunto quel montare la schiuma da barba, tanta da far sprigionare l'odore di mandorla, e solo adesso ho capito cosa fosse: il presagio del cianuro.

E dunque ora scrivo di corsa come se fossi in sala operatoria e con il dubbio serio di non riuscire a cavarmela; e concludo in fretta come a essere davanti al muro sugoso di una cella, con l'incubo di non uscirne più, come tra le assi di una cassa foderata di zinco dentro la quale diventare liquame, quindi gas e poi esplodere.

E quindi scrivo in fretta acchiappando gli ultimi istanti di vita che, si sa, sono solo ricordi.

Ma il mondo di ieri non è ricordo, è lievito. Sano, solido e vivificante.

Non c'è che il profumo del gelsomino tra i sentieri del monte Altesina. Passa un contadino in groppa a un asino che struscia il muso sui fiorellini candidi, e l'aroma si diffonde nell'aria facendo spalancare nella gran testa del ciuco un sorriso di beatitudine. Ed è una barakà, una benedizione, sapere che un animale con quella capa a trapezio isoscele – quella testa di scecco, per l'appunto – possa sprofondare in quella soave miscela di foglie e fiori. L'asino è puro travaso della saggezza in sentimento.

Tutto ciò che è scomparso mi dilaga dentro.

L'antico non sbaglia mai sul modo di accostarsi agli anziani.

L'antico educa i figli nel momento in cui li alleva.

L'antico, quando sente un'afta scavare l'incavo del labbro, mette il sale sulla ferita, e così cauterizza senza farsi piagare da una pomata che il linguaggio accorto definisce crema.

L'antico sbuccia i fichidindia a mani nude.

L'antico trova sempre la giugulare al porco, e scanna; l'antico magari sbaglia e negli sponsali ordinari, quando al banchetto di nozze portano in tavola le scodelle d'acqua con il limone per detergersi le dita unte di pesce – ecco – l'antico non è civilizzato e quell'acqua se la beve scambiandola per chissà quale bibita; ma l'antico del mondo di ieri, tornando, gode in salute e sorriso perché mette zenzero e miele. E poi l'amore.

Tutto ciò che è dentro, torna.

Tutto ciò che torna è eterno e Hosseyn mi ha fatto l'esempio delle dodici sfere numerate.

Si mettono in un sacchetto tranne la numero uno, poi si prelevano nel tentativo di comporre l'ordine fino alla dodicesima. Ovviamente non riesce la prima volta e neppure la milionesima: sarà il calcolo delle probabilità, sarà caos danzante, ma non è proprio possibile averne esito, perché Dio non è un teorema.

C'è una natura eterna che tramanda la percezione del mistero, mi ha detto Hosseyn, e siccome lui è un ayatollah prodigo di sapienza, mi ha fatto un altro esempio, quello dell'immensità della distesa marina. E mi ha detto:

"La risacca è come un'orchestra. Tutto quel mare abita una sola goccia, ed è dentro di essa che trascorre il destino di una vita meravigliosa, l'amore che si manifesta nella bellezza."

Hosseyn, infine, mi ha fatto un altro esempio: il campo seminato a grano. E mi disse, indicando il fittume in eterna cerca di un ansimo:

"Come un pettine invisibile che l'attraversa per farne tirabaci e ricci di ogni spiga. E il vento è una pazza fantasia di assoluta bellezza. Provare a restare dentro tutto quel vorticare di seminato è un gioco la cui felicità è commozione."

Vestito al modo antico, prendo in mano le forbici grandi di don Michele, che nella sua bottega tagliava i tessuti come fossero carte geografiche; le impugno e ne faccio memoria.

Lui ne faceva epica di tutti i luoghi trasfigurati nelle sue stoffe.

C'erano le sue battaglie: Bir el Gobi, su tutte. E poi la sua prigionia: l'India.

Lacerando scampoli, don Michele faceva arrivare la geografia in paese. E così ci metteva l'Africa orientale italiana. E poi la Cirenaica, la Tripolitania e – sul suo largo tavolo di sarto, spostando il metro, il ditale e i gessetti – riusciva a far zampillare l'acqua delle oasi dove aveva trovato refrigerio, e perfino il mare stesso, il Mediterraneo, che in quella bottega affacciata sulla piazza di Agira, il cui unico oceano è il grano, tracimava come una sensazione tangibile di acqua, sale e acciuga.

Vestito al modo antico, lavoro di *correa* – sempre quella di don Antonino, il barbiere – e mi sento vestito di robe antiche.

Mi vesto morsicando mele asprigne, arance proprio amare, e azeruoli, che sono frutti troppo piccoli per essere pomi e troppo grandi per essere bacche, involucri di dolcissima polpa messa intorno a semi ingombranti che però non riesco, seminandoli, a far germogliare; e l'unico albero, infine, me lo guardo come fosse una figlia femmina, dunque come una benedizione, e quell'azeruolo mi ritrovo spesso a pensarlo come una cosa viva, tra le persone a me più care.

Vestito di tutte queste robe antiche, mi ritrovo vestito di timidezza e non muovo passo. Mi spingo spalle al muro e bevo tutto il respiro del cielo che si fa pomeriggio mentre mi prende il petto. Il pazzo dolore dell'amore comincia quando lo spavento dei manifesti listati a lutto è – di fatto – l'unico segno di vita in questo tornare indietro per scavare dentro, nel fondo del cuore.

Antichissima roba era quella che prendeva corpo dalle spalle di padre Santino, gracile e riservato, quando sbucava dai vicoli e dalle strade con indosso i sacri paramenti. Dietro di lui, con l'espressione spersa, c'era Tano, il sagrestano. E Tano aveva la faccia stupefatta propria del pupo che nel presepe, circondato dai cani più rabbiosi, se ne stava spaventato, aggrappandosi alla stola del sacerdote. Perché padre Santino, così minuto, così indifeso con quei capelli bianchi come cotone, era l'esorcista. E i cani intorno, buttati nei letti di continenza ricavati nei *dammusi*, erano diavoli. Senza contare quelli portati apposta. E le femmine possedute, poi, pericolose perché stampavano la verità in faccia a chiunque fosse a tiro:

"Tra cinque giorni tu muori!"

Lo ripetevano facendo ogni sorta di voce, dal falsetto alla più seducente raucedine, incuranti della pioggia di benedizioni ed esortazioni di padre Santino.

"Tra cinque giorni tu muori!" urlavano ancora al malcapitato della situazione, per poi sussurrare, con roca e maschia suggestione:

"Non ti spaventare, ti vengo a prendere io."

E, così facendo, si alzavano la veste e mostravano con bieca sprezzatura le vergogne. E il bravo esorcista, mosso a pietà, aveva cura di coprire gli occhi a Tano, il sagrestano.

Mi vesto di robe antiche, e la favola barocca dello scheletro trionfante si fa largo nell'affollarsi dei tanti carnevali, tutti di rumore e contraddanze.

C'erano le chiamate di dame e cavalieri. Erano fatte con tanto di mastro cerimoniere, Saro Siscaro, e tutte declamate rigorosamente in francese. E c'erano figure di ballo in quelle sale – a palazzo Lipani o al Circolo degli operai – così graziose e compiute, tutte con il domino nero, da ritrovare in quelle scene il romanzo russo nel vivo sole di Agira. E come quello che, a San Pietroburgo, sentendo la morte arrivare d'estate, fece cospargere di zucchero il proprio giardino fino a imbiancare tutto il prato, per poi staccare a una a una le foglie degli alberi fino ad avere una foto dell'amato inverno nel suo ultimo sguardo. Così questa terra devastata dal vuoto, dal silenzio di ciò che s'è concluso nel tempo, trova rifugio nell'illusione di un dolore pazzo d'amore.

L'inganno è tutto nel sentimento. Fabio veniva spedito in farmacia dal padre, il generale Gaetano Fatuzzo, per comprare gli omogeneizzati con cui nutrire tutta la gran folla di zii vecchissimi, senza più denti, ospitati in casa loro.

Il dottore chiedeva: "Primi mesi?" e Fabio, tanto premuroso quanto cinico, rispondeva: "Non saprei, speriamo 'ultimi giorni!'"

Ecco, sono gli ultimi giorni di un'età prossima a concludersi.

È come un'illusione che se ne corre via, lungo il tubo dell'acqua perfino, risucchiata come un fantasma di Walt Disney nel lavabo.

È solo un inganno vivere questo mondo, perché si abita soltanto la fissazione dell'altrove, lo stare in ogni dove e mai nel luogo dove poi si crepa.

Ultimi giorni, primi mesi. Avevo ricavato un ottimo nascondiglio sotto il tavolo della cucina perché davanti all'uscio di casa c'era sempre un leone. Se ne stava accucciato lì sbattendo la dura coda sulle catenelle scacciamosche collocate sulla porta spalancata del giorno pieno di luglio. Solo io lo vedevo, sentivo il ruggito, e mia nonna no. Diceva:

"Non ce ne sono leoni, solo le mosche ci sono!"

C'era, invece, quel gattone dalla voce di tuono. E mi dava ragione solo mia zia Grazia, santa figlia, affetta da meningite, che parlava una lingua tutta sua, arcaica. Usava la parola "conte" per dire "bene", come le "cagne magre e conte" di Dante, e io per lei ero "Vavà" che stava per "vagito" oppure *niño*, al modo spagnolo.

Nato e cresciuto in campagna, sognavo il mare. Lo vedevo formarsi nella vallata che dalle Conche, la mia contrada, porta fino alla rocca di Gagliano Castelferrato, dove Enrico Mattei – richiamando dalla Germania, dal Belgio, dall'Australia e dalle Americhe tutti gli emigrati – andava a comiziare. Il suo ultimo discorso, quello dove urlando voleva tutti davanti al palco:

"Donne, dite ai vostri mariti, ai vostri figli, di tornare! Ci sarà il lavoro, qui. A Gagliano. Ci sarà il petrolio..."

Ecco, Mattei lo fece proprio lì, il comizio della sua vita, ma poi fu ucciso in volo. E io, lì, in quel mio paese di cinquant'anni fa, che era mondo più di quanto siano mondo le mie città di adesso, avevo idea che a tornare sarebbe stato invece ben altro emigrato: il mare. Ogni perlustrazione tra le rocce, l'argilla e le macchie di erba nepitella era un mettere all'incasso un trionfo di fossili: conchiglie intatte incastrate nella viva pietra di quella terra un tempo tutta mare.

"... ma il mare fin dove arrivava quando qui c'era il mare, qui, proprio qui?"

Così formulavo la domanda ai miei genitori soppesando nella polvere tutte le conchiglie raccolte in un giorno di allegro zappettare in campagna.

"Devi contare," fu la risposta di mio padre, "cento passi dalla casa. Lì c'era il mare."

Da bambini si è stati cacciatori, pastori, agricoltori e guerrieri. E dunque marinai. Con la riconosciuta serietà propria dell'infanzia di rendere vero ogni gioco, impugnando i piedi di una sedia, feci di uno sgabello un galeone per solcare tutto quel cielo graffiato, dove l'unico battello a vapore è Etna, sempre in sbuffo e brace.

"Devi contare."

Ho fatto la conta ancora di recente. Ho camminato cento passi avanti, da casa, in direzione della vallata. Ho però visto, tra le chiocciole marine, il mio azeruolo. Ci fossero oggi le onde, non ci sarebbe più l'albero. E io voglio solo le mie *zalore*.

Ciò che fu e ciò che davvero c'è, ancora oggi, è come una qualità speciale, una frattura nel mondo, ed è un giorno – giusto oggi – "la cui misura è quella di mille anni".

Ho visto una volpe allattare i suoi cuccioli, l'ho potuta scorgere nella radura delle querce oggi tutte strappate. Un luogo a lei naturale, quello, e poiché "in fatto di scienza non c'è stato dato che un poco", anni dopo la incontrai – da sola, senza più i figli, di certo tutti adulti – sul limitare del canneto che si bagna nel fiume Irminio. Annusava la spiaggia del mare di Donnalucata, la volpe, e restò ferma a fissarmi mentre io, altrettanto immobile, mi sentivo vestire di un'emozione tutta bambina. Non osservava me, la volpe, ma un istrice. Tornai con il cuore e con la mente alla mattina tutta di caccia quando insieme a Marcello dai riccioli biondi, con l'arco carico di frecce, avevamo inseguito un istrice per vederlo poi gonfiarsi e sparare i suoi aculei fino a ferire un pino.

Fu uno spavento che si rinnovò nei giorni a venire, quando dal tronco cominciò a gocciare la resina simile a lacrime che, stilla dopo stilla, procurarono all'albero una deformità. Sono andato a controllare di recente.

Anche quel pino è stato sradicato. E la volpe e l'istrice, di certo, stanno cercando un luogo, anzi, un giorno la cui misura è sempre.

Mi ritrovo spesso a bussare sui tubi dell'acqua, nel caso l'illusione facesse capolino. Ma suona solo il gorgogliare del nulla. Tornare indietro è restare nella pagina bianca dell'esistenza.

NON LA SEPPI TENERE FERMA, LA VITA

Jànchi mi divintaru li capiddi
E nun mi basta l'arma
Di rìriri e cantari –
Cà quànnu i pila stralùcinu jànchi
Fannu na notti nìura.
Era ntò suli jàutu
Di' me anni cchiù forti e ginirusi
Quànnu cuddàu la spera di stu suli.
Nun canusciti la rizzetta vùi
Chi vota 'u tempu arreri e l'arrifrisca?
Nìuri mi tìnciu i me capiddi jànchi
Mittènnuci all'arbisciri
La notti pi cummògghiu.
Ma unni trovu na tintura eterna
Iu ca nun seppi spènniri 'a me vita
E nun la tinni ferma?
Friscu era 'u ventu e lèggiu
E murmuriàva ciauriùsu e moddu.
E chidda si muvìu ntra la nuttata
Risbigghiata di' lampi ca chiancianu
Scàrrichi e lagrimuni

Supra a li morti vurricati 'n terra.
E tu sintisti i trona contr'ê nèuli
E ti parìa di sèntiri 'u stadduni
Chi scòncica 'a camidda.
E lampiava 'u celu, supra e sutta,
comu lampìanu i spati mmenz'all'aria.
Passà na notti a luttu.
Na notti dispirata.
Ah, jòrnu, jòrnu, portami sta luci!
Ah, ventu, ventu, quànnu chiovi a scrùsciu
Supra i campagni sicchi,
portami a mìa li nèuli cchiù asciùtti
ch'i vògghiu abbivirari cu' sti làgrimi! –
comu nnàffiu di chiàntu la casitta
unni nascì e criscì,
sia sempre biniditta
di' me làgrimi amari.
E nun lassari mòriri di siti,
ventu piatùsu chi scanagghi i nèuli,
ddi mura asdirrupati e ddu silènziu.
Tu nenti sa', ma iu ti pozzu diri
Ch'u suli orbu squàgghia la zabbara
Jinchènnu di profumi 'u tempu e l'aria.
Nun ti maravigghiàri: a ddu paìsi
Li stanzi ciaurìanu mbarsamati
E vinci sempri amuri e sempri futti
A stu me cori nnamuratu e sùpprici.
Ddà 'u me sangu, ddà 'a me linfa, ddà
'a me vita – e ddà curri la menti
comu cùrrunu i lupi a la montagna.
Ddà eppi pi compari lu liùni

E ci parrà ô gazzellu
Piccittu ntrà so tana.
Ah, mari, mari tintu,
è tuttu a li to spaddi 'u paradisu
unni campà cuntentu e senza làstimi!
Ddà vitti l'arba e ora chi fa notti
Èrramu sugnu e senza patria e senza
Nuddu. Ah, mari, mari disgraziatu,
picchì m'alluntanasti da' me vita?
Avrìa pigghiatu 'a luna a fucigghiuni
Comu varca bulanti celu celu
Ch'arriva ô suli – e mi lu strìnciu ô pettu.
Jànchi mi divintaru li capiddi

Ibn Hamdis
(versione di Emilio Isgrò)

UN TENTATIVO DI VERSIONE IN PROSA

Non mancherà nulla quando tutto sparirà. E questo è il senso della notte più nera.

Tempo verrà che diventeranno bianchi i capelli.

Tempo verrà che ciò che è stato sopravanzerà i rimasugli di ciò che resta.

Dal nulla troverà vita il Nulla, e l'anima che è animo, aggirandosi come un'aureola tra i capelli diventati bianchi, non avrà più tema per ridere e cantare. E sognare.

Sarà come avere la neve in testa, l'incanutirsi. Ma tutto quel rifulgere del chiarore è solo buio, neppure è morte. La sfera di vera luce, infatti, tramonta nel momento esatto in cui gli anni, forti e generosi, non hanno messo da parte la formula per roteare il tempo, volgerlo indietro e così rigenerarlo – senza più la foga cieca della vita – nella frescura della dolcezza che è il guadagnare ancora tempo per vivere al meglio ciò che fu al principio.

Dire ciò che fu detto stabilisce la verità. Si costruisce l'anno e si ripete il mondo. Quasi una divina incombenza. Si abita il corpo come si alloggia in una casa, al paese o nel tempo e come le membra, le strade e i giorni perdono vigore e salute, tutto invecchia per cui il respirare è come il camminare su un taglio affilato.

Solo ciò che accadde al principio è vero, e perciò morire senza tornare indietro ci precipita nella menzogna. L'essere fusi con ciò che non c'è più, invece, è vera luce. Si entra consapevoli nella propria esistenza.

I miei capelli sono diventati bianchi.

Ed è con l'alba che arriva la notte. È l'aurora che illude. Porta un buio da farsene coperta, manto, tetto, coperchio e tomba.

Nel ventre della nostalgia abita tutta quella notte che è tintura. E non è ancora la morte.

Nessuno conosce la ricetta davvero eterna per chi, come me, non seppe fermare quel correre della vita senza sapere tenerla ferma.

Il carico di malinconia estingue i fuochi, ma tutto ciò che è scomparso si prende il tempo che verrà: il sogno.

La fantasticheria del vento, dolce e vivace, che mormora i morbidi odori mentre sopraggiungono in cielo lampi piangenti vampe e lacrime, è un raggiro per lei, la donna da sempre amata, svegliata e spaventata dal temporale che bagna i morti fin dentro i loro profondi sepolcri.

Il tuono parla alla nube, e mi sembra di sentire lo stallone quando muove corte alla nobile cammella.

Il cielo fa fuoco in ogni dove, dalla volta e dall'orizzonte scatena faville, e io riconosco le spade, la mia scimitarra, ed è come quando in battaglia le lame scintillano a mezz'aria.

All'apparire dell'alba sopravanza comunque il buio del cuore e già quel giorno è solo una notte, la notte di disperato lutto.

E il giorno – il nuovo giorno – non mi porta la nuova luce.

E così il vento – il vento nuovo – quando pure scroscia sulle campagne arse non mi consegna, a me che glielo chiedo, i cirri più asciutti affinché possa annaffiarli con le mie lacrime.

Così come bagno di zuppa malinconia la casa dove fui bimbo e dove crebbi, la casa sempre benedetta dal gocciare dei miei ricordi.

Il vento – così pietoso nel condensare le nuvole – lascia nella sete le mura del mio paese, ormai rese polvere e macerie da tutto quel silenzio.

Ma il sole – sebbene fatto cieco – dall'agave scioglie nuovi profumi e così stordisce il tempo e l'aria. Le stanze, adesso, odorano di balsamo ed è perciò che vince ancora l'amore, pazzo di dolore, ed è questa la trappola che mi cattura ancora. E il cuore mio è una sola supplica.

Lì c'è il mio sangue.

Lì è la mia linfa e la mia vita.

E solo lì, in quel paese, corre la mente così come il lupo corre verso Altesina.

E fu su quella montagna che ebbi per compare il leone.

E lì parlai al cucciolo quando la gazzella mi accolse nella sua tana.

E perciò mare, vilissimo mare, getta la maschera.

"È tutto alle tue spalle il Paradiso, dove si campa contenti e senza più fastidi."

È lì che sorge la vera alba, e ora che mi sovrasta la notte lo so: sono errante e senza più una patria.

E senza nessuno accanto.

E dunque mare, mare disgraziato, dammi una risposta.

"Perché mi hai allontanato dalla vita?"

Avrei potuto prendere la mezzaluna per farne una barca con cui volare nei cieli, arrivare con lei innanzi al sole e stringerlo così, al mio petto.

Avrei potuto.

Oggi finisce il mese di Ramadan e chiudo con l'ultima pagina.

Nella stanza in cui mi trovo – è la casa dove un tempo, cercando l'estate, soggiornò *Dino*, così mi racconta donna Paola Noto – sorge in un istante un giardino, tutto in tumulto per una voce dolcissima. Ogni albero vi danza, la frutta ha il cuore rapito, le foglie se ne muoiono di piacere e per chi bussa non c'è verso di convincersi ad aspettare, né c'è chiave per aprire la porta.

Il cipresso danza e la rosa si addormenta.

Una leggera pioggia di giacinto e gelsomino bagna le vesti del cielo; una gazzella, inebriata di stratagemmi e astuzie, saluta il vento da un cespo di tulipani, ed è così che convince il cipresso a tendere in alto la sua snella figura di Don Chisciotte, ed è così che la rosa, sempre d'accordo con lei, apre la chioma di petali in omaggio all'intero giardino e rende grazie alla voce, dolcissima, di Luna, in cielo. Alhamdulillah.

Un grazie a Sergio Claudio Perroni, l'editing è suo. Un grazie a Federica Matteoli. E un grazie al "Foglio", sempre.

Bompiani ha raccolto l'invito della campagna
"Scrittori per le foreste" promossa da Greenpeace.
Questo libro è stampato su carta certificata FSC,
che unisce fibre riciclate post-consumo a fibre vergini
provenienti da buona gestione forestale e da fonti controllate.
Per maggiori informazioni: http://www.greenpeace.it/scrittori/

Finito di stampare
nel mese di ottobre 2013 presso il
Nuovo Istituto Italiano d'Arti Grafiche - Bergamo

Printed in Italy